L'Apprenti Sage

apprendre à lire et à orthographier

Brigitte Stanké

L'Apprenti Sage
Brigitte Stanké

Éditrice : Lise Tremblay
Coordination : Monique Pratte et Josée Beauchamp
Révision linguistique : Nicole Demers
Correction d'épreuves : Odile Dallaserra
Illustrations : Franfou et Fenêtre sur cour et ses concédants
Conception graphique et infographie : Fenêtre sur cour
Couverture : Michel Bérard

Catalogage avant publication
de Bibliothèque et Archives Canada

Stanké, Brigitte

L'Apprenti Sage : apprendre à lire et à orthographier

Comprend des réf. bibliogr.

ISBN 2-7650-0820-5

1. Lecture – Méthode phonétique. 2. Lecture (Enseignement primaire) – Méthode globale. 3. Français (Langue) – Étude et enseignement (Primaire) – Méthodes actives. 4. Français (Langue) – Orthographe - Étude et enseignement (Primaire) – Méthodes actives. I. Titre.

LB1573.3.S72 2005 372.46'5 C2005-940916-9

7001, boul. Saint-Laurent
Montréal (Québec)
Canada H2S 3E3
Téléphone : (514) 273-1066
Télécopieur : (514) 276-0324
info@cheneliere-education.ca

ISBN 2-7650-0820-5

Dépôt légal : 1er trimestre 2006
Bibliothèque nationale du Québec
Bibliothèque nationale du Canada

Imprimé au Canada

1 2 3 4 5 ITM 08 07 08 06 05

Nous reconnaissons l'aide financière du gouvernement du Canada par l'entremise du Programme d'aide au développement de l'industrie de l'édition (PADIÉ) pour nos activités d'édition.

Chenelière Éducation remercie le gouvernement du Québec de l'aide financière qu'il lui a accordée pour l'édition de cet ouvrage par l'intermédiaire du Programme de crédit d'impôt pour l'édition de livres (SODEC).

L'Éditeur a fait tout ce qui était en son pouvoir pour retrouver les copyrights. On peut lui signaler tout renseignement menant à la correction d'erreurs ou d'omissions.

Table des matières

Introduction

Lire, c'est avant tout traiter un énoncé verbal mis par écrit à l'aide d'un code et participer à une situation de communication. Savoir lire, c'est dans un premier temps être en mesure de décoder et de reconnaître les mots écrits. Dans un second temps, savoir lire, c'est construire un sens du message écrit. À l'école, l'enfant apprend à lire pour ensuite lire pour apprendre. Ainsi, lire est un processus fondamental qui donne à l'enfant un pouvoir et une autonomie dans la construction de ses propres connaissances.

Les sections qui suivent présentent les fondements théoriques qui sous-tendent la création de *L'Apprenti Sage* et du conte qui l'accompagne, *Gentil secret.*

L'apprentissage de la lecture et de l'orthographe

Les recherches menées depuis de nombreuses années tant en psychologie qu'en neuropsychologie cognitive ont permis de proposer des modèles de développement de la lecture et de l'orthographe qui spécifient les mécanismes de traitement impliqués dans la reconnaissance et la production du langage écrit. Ces modèles ont l'avantage de déterminer les mécanismes sollicités pour l'apprentissage de l'écrit. Parmi eux, on compte le modèle développemental des processus d'indentification des mots d'Ecalle (2003), sur lequel s'appuie notamment *L'Apprenti Sage.*

Le modèle développemental des processus d'indentification des mots

Apprendre à lire et à orthographier consiste à comprendre et à développer les deux principales procédures, l'adressage et l'assemblage, qui se développent simultanément.

La procédure d'assemblage permet de lire et d'orthographier, par transcodage, tous les mots réguliers, qu'ils soient connus ou non, en utilisant des règles de correspondance phonème/graphème(s). Par l'étude systématique du code alphabétique, l'enfant met en place une stratégie de décodage qui s'automatisera. Cette procédure va servir d'ancrage au développement de la procédure d'adressage. La procédure d'assemblage demande de bonnes capacités de traitement phonologique, c'est-à-dire de fusion et de segmentation phonémiques et syllabiques, ainsi qu'une bonne mémoire de travail. (Voir la section « Le traitement phonologique », aux pages 7 et 8.)

La procédure d'adressage permet de lire rapidement par une reconnaissance visuelle globale du mot et d'orthographier à partir d'un lexique visuel gardé dans la mémoire à long terme. Par exemple, lorsque le mot *pantalon* est présenté par écrit, les traitements visuels conduisent à activer au sein du lexique visuel la trace mémorisée de la forme orthographique de ce mot. L'activation va permettre d'accéder d'une part au sens, et d'autre part à la forme phonologique qui permettra de prononcer le mot. Les mots les plus fréquents sont reconnus plus rapidement. Pour orthographier le mot *pantalon,* un traitement similaire se met en œuvre. L'analyse auditive de ce mot conduira à activer la représentation phonologique au sein du lexique phonologique (vocabulaire réceptif). La représentation orthographique sera activée si ce mot a été préalablement stocké dans le lexique visuel.

L'identification des mots repose sur leurs caractéristiques visuelles telles que la forme des lettres et le contour du mot. Elle présuppose donc de la part de l'enfant une attention soutenue, une mémoire efficiente et un bon repérage sur le plan visuel.

Le modèle développemental des processus d'indentification des mots d'Ecalle (2003) suppose que, pour identifier les mots, l'enfant s'appuiera sur un ensemble de connaissances phonologiques et visuelles en cours de constitution. Le traitement du mot empruntera prioritairement la procédure d'adressage, car cette dernière demande moins de ressources cognitives. Si la procédure d'adressage n'est pas réalisée, la procédure d'assemblage sera empruntée. Le lecteur débutant utilise essentiellement la procédure d'assemblage, alors que le lecteur expert utilise la procédure d'adressage pour les mots fréquents ou familiers. L'exposition à l'écrit, la multiplicité des traitements des mots écrits et la qualité des traitements participent au développement des connaissances impliquées dans les processus d'identification.

Par ailleurs, de récentes recherches ont montré que l'enfant utiliserait également une procédure analogique. Celle-ci consiste à décoder ou à orthographier des mots nouveaux en se référant à un ou à plusieurs mots connus qui

Quelques définitions utiles

Conscience phonologique
La conscience phonologique (la métaphonologie, le traitement phonologique) réfère à des habiletés de réflexion et de manipulation des sons du langage oral. En d'autres termes, pour posséder de bonnes habiletés phonologiques, il faut être conscient que les mots sont constitués d'unités sonores plus petites, les phonèmes (sons). Par exemple, le mot *cadeau* se décompose en quatre phonèmes : *k a d o.*

La conscience phonologique concerne les activités de réflexion et de manipulation des sons, par opposition à l'utilisation spontanée qui est faite de ces derniers dans les activités de communication. Sur le plan phonologique, la réflexion porte sur le fait que le langage comporte une suite d'éléments sonores dépourvus de signification, manipulables et combinables. Les activités de conscience phonologique, contrairement aux activités langagières, doivent être enseignées. Elles ne sont pas accessibles spontanément à partir de l'expérience langagière commune ; leur maîtrise se révèle indispensable pour accéder à l'écrit.

Correspondance son/lettre(s)
Relation entre les sons des mots et leur forme écrite.

Fricative Consonne produite par obstruction partielle du flux de l'air provenant du larynx (l, r, f, v, s, z, ch, j, g [doux]).

Fusion phonémique Assemblage d'unités phonémiques. Par exemple, le mot *as* est formé par la fusion des deux phonèmes *a* et *s.*

Fusion syllabique Assemblage d'unités syllabiques. Par exemple, le mot *balai* est formé par la fusion des syllabes *ba* et *lai.*

Graphème La plus petite unité écrite d'un mot. Dans notre système alphabétique, le graphème correspond à la lettre ou à une combinaison de lettres.

Lexique visuel Ensemble de mots que l'on reconnaît visuellement.

Lexique orthographique Ensemble de mots dont on connaît les représentations orthographiques.

Mot irrégulier Mot qui ne répond pas aux règles de correspondance phonème-graphème (par exemple, le mot *femme*).

partagent des caractéristiques phonologiques, sémantiques ou morphologiques avec le mot à lire ou à orthographier. Les régularités prises en compte par la procédure analogique concernent davantage des groupements de phonèmes (rimes) ou lettres situées à la fin des mots.

L'acquisition des correspondances phonème/graphème(s) et graphème(s)/phonème

Une écriture alphabétique suppose la transcription des phonèmes de la langue à partir des lettres de l'alphabet. Or, en français, nous ne disposons que de 26 lettres pour transcrire les 35 phonèmes de cette langue. Il a donc fallu utiliser une combinaison de lettres ou un ajout de signes, d'accents et de trémas pour transcrire tous les phonèmes. Ainsi, l'unité de base de l'écrit est non pas la lettre, mais le graphème.

La difficulté majeure dans l'acquisition de la correspondance phonème/graphème(s) réside dans le fait qu'il n'y a pas toujours de lien direct entre les phonèmes et les graphèmes. De plus, l'enfant doit réaliser qu'un phonème peut être représenté par plusieurs graphèmes. Par exemple, le son [ɛ̃] en alphabet phonétique international (API) peut être représenté de 22 façons différentes (*in, ain, aim, ein, ingt, aind,* etc.) et le son [s] peut être représenté de 7 façons différentes (*s, ss, c, ç, t(ion), x* et *sc*). Puis, l'enfant doit réaliser que la correspondance graphème(s)/phonème peut varier selon le contexte. Prenons l'exemple de la consonne *s*. Selon le contexte, cette consonne peut se prononcer soit [s] ou [z], ou ne pas se prononcer s'il s'agit de la marque du

Occlusive Consonne produite par obstruction complète du flux de l'air provenant du larynx (p, b, m, n, t, d, gn, k, g [dur]).

Phonème La plus petite unité sonore d'un mot. Par exemple, le mot *bateau* est constitué de quatre phonèmes: *b a t eau.* Dans notre système alphabétique, le phonème représente le son de chacune des lettres ou, parfois, de groupes de lettres.

Procédure d'adressage Processus de lecture et d'orthographe conduisant à la reconnaissance visuelle des mots ou à leur orthographe sur la base d'une représentation visuelle de leurs éléments constitutifs.

Procédure d'assemblage Processus de lecture et d'orthographe conduisant à la reconnaissance visuelle des mots ou à leur écriture sur la base de la conversion des graphèmes en phonèmes, ou l'inverse.

Pseudo-mot Groupe de graphèmes ou de phonèmes n'ayant pas de signification, mais respectant les règles de la langue, par exemple *mable.*

Reconnaissance Identification d'un stimulus.

Rime Partie finale d'une syllabe. La rime est constituée de la voyelle de la dernière syllabe du mot et, le cas échéant, de sa consonne finale.

Segmentation phonémique Découpage d'un mot en unités de sons. Par exemple, le mot *balai* est formé de quatre sons, soit *b a l ai.*

Segmentation syllabique Division d'un mot en unités syllabiques. Par exemple, le mot *lavabo* est composé de trois syllabes, soit *la va bo.*

Syllabe Groupe de phonèmes qui découpent un mot de façon naturelle lorsqu'on le prononce. Par exemple, le mot *lavabo* se divise en trois unités, soit *la va bo.*

Traitement phonologique Activités d'analyse et de manipulation des sons du langage oral.

Transcodage Transformation d'un code en un autre; par exemple, le code de la langue parlée se transforme en un autre, le code de la langue écrite.

pluriel (*chaises/chaise*), de la marque du genre (*pris/prise*) ou de l'orthographe lexicale (*bras*). Prenons un autre exemple, celui des voyelles *e* et *u*. On enseigne aux enfants que les lettres *e* et *u*, mises ensemble dans cet ordre, se prononcent [ø] en API. Toutefois, on ne leur enseigne pas que dans certains contextes ces lettres ne font plus le même son. Dans la phrase *j'ai eu,* ces lettres se prononcent [y] et, dans certains mots comme dans *beurre,* ces deux voyelles se prononcent [œ]. Finalement, une autre difficulté provient du fait que certaines voyelles et consonnes marquent la syntaxe en français et que, par conséquent, elles ne doivent pas être prononcées. Les marques du genre (*joli/jolie*), du nombre (*fille/filles*) et du temps des verbes (*j'aimai/j'aimais*) se différencient à l'écrit mais non à l'oral.

Les correspondances graphème(s)/phonème sont plus simples à maîtriser en lecture que les correspondances phonème/graphème(s) en orthographe. Les jeunes enfants de maternelle et certains enfants en difficulté d'apprentissage de la langue écrite éprouvent cependant des difficultés dans l'acquisition de la correspondance graphème(s)/phonème. Ils utilisent la lettre comme unité de traitement de l'écrit plutôt que de référer au graphème. Ils ont alors de la difficulté à lire des combinaisons de lettres comme les digraphes (*ou, on, en,* etc.) et les trigraphes (*eau, ain, ein,* etc.).

L'acquisition d'un lexique orthographique

Avant l'apprentissage formel de l'écrit, l'enfant construit un ensemble de connaissances implicites. Par exemple, les enfants de maternelle sont sensibles aux fréquences des suites de lettres même si cette notion n'a pas fait l'objet d'un enseignement explicite. Ils sont capables d'identifier parmi deux paires de séquences de lettres celle qui constitue un vrai mot (*pppt ddt* et *pantalon*). Les connaissances implicites sont les précurseurs nécessaires à l'apprentissage du langage écrit. Les connaissances explicites enseignées à l'école vont s'intégrer aux connaissances implicites de l'enfant. L'expérience en lecture et en orthographe ainsi que l'exposition à l'écrit participent à la constitution d'une base de connaissances en mémoire.

L'acquisition d'un lexique visuel a fait l'objet de nombreuses recherches. L'enfant non lecteur utilise uniquement des indices visuels ou contextuels pour identifier des mots. Tout d'abord, l'apprenti lecteur s'appuie sur les indices alphabétiques des premières lettres du mot pour identifier ces dernières. Il utilise la correspondance entre les quelques lettres qu'il connaît et leur phonème. Puis, l'enfant s'appuie progressivement sur les graphèmes pour identifier les mots en considérant l'ensemble des lettres qui constituent le mot, sans pour autant tenir compte de l'ordre dans lequel elles apparaissent. Ce n'est que plus tard que le mot constituera une suite de lettres ordonnées. Ainsi, la mise en place du lexique visuel dépend de deux facteurs que nous avons déjà abordés : la procédure d'assemblage et la maîtrise de la correspondance phonème/graphème(s).

Les capacités orthographiques précoces dépendent avant tout de la procédure phonologique durant la première année d'apprentissage de l'écrit (Ecalle et Magnan, 2002 ; Ecalle, 1998). L'enfant commence donc à orthographier les mots en utilisant les règles de conversion des phonèmes en graphèmes, des règles qu'il a apprises en classe. Toutefois, pour écrire les mots du français, il ne peut se limiter au transcodage. Il doit nécessairement posséder des représentations visuelles portant sur les spécificités orthographiques des mots. Par exemple, pour orthographier adéquatement le mot *bateau,* l'enfant doit nécessairement avoir stocké en mémoire la représentation visuelle *eau* du son [o]. Ces représentations constituent le lexique orthographique, stocké dans la mémoire à long terme. Il est généralement évoqué que le lexique orthographique se développe à la suite de la rencontre répétée des mots écrits, donc de façon passive, si toutefois l'enfant ne montre pas de déficit des fonctions cognitives qui sous-tendent cet apprentissage. Selon certains chercheurs, les difficultés éprouvées dans le développement du lexique orthographique seraient dues à un déficit des fonctions visuo-attentionnelles (Valdois *et al.*, 2004; Valdois *et al.*, 2004; Walch, 1999; Albouy, 2002) et mnésiques (Walch, 1999). Selon d'autres (Alégria et Mousty, 1997; Holmes et Davis, 2002), les difficultés résulteraient de mauvaises représentations visuelles.

Des recherches (Allal, 1997) ont montré que l'utilisation de listes de mots, avec des modifications sur la structuration des listes, est une approche adéquate pour l'acquisition de l'orthographe. En d'autres termes, les listes doivent porter sur la différenciation des mots réguliers (*lavabo*) et irréguliers (*femme*) et sur la classification des variations orthographiques (liste de mots écrits en *ain*: *main, pain, bain*, etc., et liste de mots écrits en *in*: *lapin, patin, raisin*, etc.). Cet apprentissage doit être complété par l'enseignement d'un nombre limité de règles (suffixe comme *eur-* [dans*eur*], *eux-* [courag*eux*], et préfixe comme *bi-* [*bi*cyclette], *a-* [*a*normal]).

Les fonctions cognitives impliquées dans l'acte de lire et d'orthographier

Les recherches en neuropsychologie ont permis de déterminer les fonctions cognitives nécessaires à l'apprentissage de la lecture et de l'orthographe. À l'heure actuelle, on s'entend généralement pour attribuer les difficultés d'apprentissage à des déficits des processus cognitifs.

Le traitement phonologique

Le traitement phonologique comprend le *traitement phonémique,* le *traitement syllabique* et la *mémoire de travail.*

Nous savons aujourd'hui que les habiletés de traitement phonologique sont essentielles dans l'acte de lire et d'orthographier par la voie d'assemblage. Il est donc essentiel que le jeune prélecteur ait de bonnes habiletés de traitement phonologique avant d'aborder l'apprentissage de la lecture et de l'orthographe. De nombreuses études (Lecocq, 1991; Zorman, 1999; Schneider *et al.*, 2000) effectuées depuis les années 1980 ont démontré qu'un entraînement à la conscience phonologique combiné à un enseignement des relations lettres-sons permettait non seulement de développer le traitement phonologique, et donc de faciliter l'apprentissage de la lecture, mais également d'améliorer les performances de lecture et d'orthographe tant chez les bons lecteurs que chez les lecteurs en difficulté.

Le traitement phonémique

Au début de l'apprentissage de la lecture et de l'orthographe, l'enfant utilise principalement la procédure d'assemblage. Le traitement phonémique est le traitement sollicité pour lire et orthographier les mots, et ce, quelle que soit la familiarité des mots. Par exemple, pour lire le mot *lavabo*, l'enfant fusionnera chaque son des lettres du mot, soit *l a v a b o*, pour le décoder. Par ailleurs, les recherches ont montré que les effets bénéfiques d'un tel entraînement persistent dans le temps.

Le traitement syllabique

Lier les graphèmes aux phonèmes étant une tâche laborieuse sur le plan cognitif, l'enfant passera rapidement au traitement syllabique pour décoder ou orthographier les mots. L'enfant doit apprendre à découper la séquence de lettres d'un mot en unités regroupant des configurations orthographiques qui correspondent aux syllabes orales. Ainsi, pour lire le mot *lavabo*, l'enfant fusionnera les syllabes *la va bo*. Les enfants en difficulté ont beaucoup de mal à segmenter correctement la suite de lettres que constitue le mot pour retrouver les syllabes de l'oral. Par exemple, ils peuvent segmenter le mot *lavabo* de la façon suivante: *lav ab o*. Cette façon de faire conduit nécessairement à de nombreuses erreurs en lecture dont des omissions, des substitutions et des inversions.

La mémoire de travail

Lorsqu'une personne est engagée dans une tâche complexe, la mémoire de travail lui permet de maintenir temporairement les informations nécessaires à la réalisation de la tâche. Il a été largement démontré que la mémoire de travail joue un rôle déterminant au début de l'apprentissage de la lecture et de l'orthographe. Comme on le sait, au début de l'apprentissage, l'enfant passe principalement par la procédure d'assemblage pour décoder et transcoder des mots. Lors de l'identification des mots, il doit retrouver les sons associés aux lettres avant de les fusionner pour accéder à la représentation phonologique. Le rôle de la mémoire de travail est donc essentiel. En effet, l'enfant doit garder momentanément active l'information liée aux lettres ou aux sons déjà identifiés pendant qu'il décode les graphèmes ou les phonèmes restants. Les lecteurs qui ont des difficultés avec la procédure d'assemblage montrent généralement des difficultés en ce qui a trait à la mémoire de travail. De plus, une bonne mémoire de travail est primordiale en compréhension verbale, tant à l'oral qu'en lecture. Pour comprendre un texte, le lecteur doit maintenir en mémoire l'information qu'il vient de lire et traiter simultanément celle qu'il est en train de lire, tout en établissant des liens entre ces différentes informations et les connaissances déjà acquises.

Le traitement visuel

Quelle que soit la procédure utilisée, lire suppose d'abord un traitement visuel global et séquentiel du mot, puis l'établissement des correspondances entre les symboles écrits et les signifiants. L'identification des mots demande une bonne *analyse visuelle*, de bonnes capacités d'*attention visuelle*, une bonne *organisation des saccades visuelles* (mouvements oculaires très rapides) ainsi qu'une bonne *mémoire visuelle*. Tous ces facteurs sont trop souvent négligés, voire ignorés. Or, des difficultés importantes sur le plan oculomoteur, attentionnel ou mnésique peuvent entraver l'apprentissage du langage écrit. De bonnes capacités de traitement visuel sont donc une condition nécessaire à la constitution d'un lexique visuel et orthographique.

L'analyse visuelle des mots

L'analyse visuelle des mots est un préalable à la lecture globale. L'enfant doit repérer rapidement l'ensemble des séquences de lettres pour ensuite y associer un sens. Cette analyse demande la prise en compte des symboles que sont les lettres qui composent un mot, de leur ordre et de leur orientation. Des difficultés d'analyse visuelle conduisent à un traitement imprécis des lettres et des séquences de lettres, ce qui amène souvent l'enfant à confondre des graphèmes semblables ou des voisins orthographiques (mots visuellement proches).

L'analyse visuelle des mots diffère de l'analyse visuelle des autres symboles ou des images du quotidien. En effet, l'enfant doit comprendre que les lettres ou groupes de lettres changent d'identité selon leur orientation. Ce n'est pas le cas de n'importe quel objet, symbole ou image du quotidien. Prenons l'exemple de la deuxième lettre de l'alphabet représentée par le symbole *b*. Ce symbole devient soit un *d*, un *p* ou un *q* selon son orientation. Cette analyse visuelle s'affine grâce à l'expérience. Toutefois, certains enfants éprouvent des difficultés à identifier les lettres symétriques (*p, b, q, d, u, n*), qui ne se distinguent que par un seul trait (haut, bas, gauche, droite). Les confusions observées ne relèvent pas systématiquement d'un problème de latéralisation ou de discrimination. Au contraire, la plupart des enfants sont capables de reconnaître et d'expliquer la différence entre les lettres symétriques. C'est plutôt le rappel du nom de la lettre ou du phonème qui pose des problèmes. Par exemple, l'enfant qui a des difficultés à identifier la lettre *b* sera capable de dire qu'il s'agit soit d'un *b*, soit d'un *d*, sans pouvoir préciser davantage, car il ne parvient pas à mémoriser laquelle des deux lettres correspond au phonème dont il est question.

L'attention visuelle

La lecture demande de bonnes capacités d'attention visuelle. Lors du traitement par procédure d'assemblage, l'attention se porte sur les premières lettres du mot puis se déplace de gauche à droite, aux lettres subséquentes. La procédure d'adressage demande une répartition de l'attention sur l'ensemble des lettres du mot. Des difficultés à concentrer l'attention autour d'un point de fixation amènent l'enfant à confondre des lettres semblables et crée une diminution du nombre total de lettres que l'on peut mémoriser (empan visuel de lettres).

L'image visuelle des mots

Afin de pouvoir écrire un mot, il est nécessaire de posséder une représentation visuelle portant sur les spécificités orthographiques de ce mot. Ces représentations visuelles des mots sont stockées dans la mémoire à long terme. Or, certains enfants ont des difficultés à évoquer des images visuelles, alors que d'autres en ont à gérer l'information contenue dans leur mémoire visuelle à long terme.

La mémoire visuelle

La mémorisation de la forme écrite des mots est essentielle non seulement pour parvenir à une lecture efficace et rapide, mais aussi pour construire un lexique orthographique.

La vitesse de lecture

La vitesse de lecture peut déterminer la procédure utilisée par l'enfant. Un décodage rapide et précis nous assure que l'enfant procède par adressage. En raison de difficultés de toutes sortes dont le choix d'une mauvaise stratégie, certains enfants favorisent davantage la procédure d'assemblage. Toutefois, une vitesse de lecture réduite peut témoigner d'un problème d'évocation lexicale ou d'une mauvaise utilisation de la procédure d'assemblage par une lecture phonémique ou syllabique.

Les caractéristiques du présent ouvrage

Comme nous venons de le voir, l'apprentissage de la lecture et de l'orthographe met en jeu des facteurs complexes liés aux processus linguistiques, langagiers et cognitifs. La réussite de cet apprentissage dépend de facteurs individuels, culturels et économiques. Le présent ouvrage tient compte de ces différents facteurs afin de favoriser le développement des habiletés nécessaires à l'apprentissage de l'écrit chez les enfants âgés entre cinq et neuf ans. De plus, il représente un outil rééducatif pour les jeunes qui éprouvent des difficultés d'apprentissage de l'écrit.

L'*Apprenti Sage* a été élaboré en tenant compte des plus récentes recherches menées en orthophonie et en neuropsychologie cognitive. Ces recherches portaient notamment sur l'apprentissage de l'écrit et sur les difficultés que cet apprentissage peut susciter.

Les activités proposées

Les 17 activités proposées peuvent être réalisées individuellement ou en groupe classe. Elles relèvent de trois types de tâches qui visent à développer :

- les fonctions cognitives présumées en jeu dans l'apprentissage de la lecture et de l'orthographe ;
- les procédures de lecture et d'orthographe ;
- le vocabulaire relatif aux notions de l'écrit.

Le groupe d'âge auquel s'adressent les activités est mentionné au début de chacune d'elles. Précisons que la sélection des mots contenus dans chaque activité a été faite en fonction des facteurs linguistiques lexicaux et sublexicaux qui ont montré une incidence sur l'apprentissage de la lecture et de l'orthographe.

Plusieurs activités de *L'Apprenti Sage* visent à développer les habiletés de fusion et de segmentation phonémiques (traitement phonémique) de l'enfant, habiletés qui se sont montrées les plus corrélées avec l'acte de lire et d'orthographier.

Afin d'améliorer la segmentation syllabique en lecture, le présent ouvrage propose une série d'exercices où l'enfant doit retrouver les syllabes à l'écrit qui correspondent aux syllabes du mot évoqué à l'oral.

Des activités de repérage ainsi que des activités de reconnaissance rapide de paires minimales de mots sont également prévues dans le but d'améliorer l'attention visuelle.

De plus, des activités liées à l'induction d'images visuelles sont présentées. On demande à l'enfant de regarder un mot pendant quelques secondes, puis on l'invite à répondre à des questions portant sur les caractéristiques visuelles du mot. Pour y arriver, l'enfant doit nécessairement évoquer la forme graphique du mot. Par exemple, si on lui demande de regarder pendant quelques secondes le mot *bateau* et de dire combien de lettres *e* comporte ce mot, il ne pourra faire autrement que de répondre en évoquant une image visuelle du mot. L'épellation des mots répond au même objectif. La création d'images visuelles des mots permettra également d'en améliorer la rétention.

En outre, des activités portant sur la création d'images visuelles, l'attention visuelle et la reconnaissance répétée des mêmes stimuli sont offertes afin de faciliter le développement de la mémoire visuelle.

Enfin, pour favoriser l'utilisation de la procédure d'adressage et le développement d'une meilleure attention, *L'Apprenti Sage* propose deux types d'activités. Le premier consiste à procéder à une activité de lecture où les mots sont présentés de façon brève. Le second consiste à augmenter progressivement la vitesse de lecture de paires de mots ou de phrases ne se distinguant que par un seul trait (*pain/bain*), tout en diminuant le nombre d'erreurs.

Les activités regroupées selon leur objectif

Les activités visant à développer la procédure d'assemblage

Note : Dans le présent ouvrage, ces activités apparaissent en ordre croissant de difficulté.

- Conscience lexicale : Dans la forêt lointaine, Des mots et des lettres.
- Traitement syllabique : À la recherche de la syllabe, Les demi-lunes.
- Traitement phonémique : Pareil, pas pareil, À la recherche d'un son, Et Colle !, Gentil Secret, Drôles de petits mots, Les sons des mots.

Les activités visant à développer la procédure d'adressage

- Induction d'images visuelles : Les mots invisibles, L'image des mots, Leçons de sons.
- Repérages : Les mots invisibles, Voyons les voyelles, Leçons de sons, Repérage.
- Reconnaissance de mots : Le record, Attention !, Leçons de sons.

Les activités visant à développer le vocabulaire relatif aux notions de l'écrit

Dans la forêt lointaine, Des mots et des lettres, Voyons les voyelles.

Activités

Activité 1 Dans la forêt lointaine

Objectifs

- Développer la conscience lexicale.
- Développer la compréhension des termes relatifs à l'écrit.
- Développer la compréhension des termes relatifs aux notions spatiales.

Matériel

- Feuille reproductible 1.1, *Dans la forêt lointaine*
- Crayons de couleur

Public cible : Maternelle et premier cycle

Préalable : Aucun

Déroulement de l'activité

- Écrivez au tableau le texte de la chanson *Dans la forêt lointaine* (voir la page 16).
- Faites apprendre aux enfants les paroles de la chanson *Dans la forêt lointaine.* Chantez-la. Chaque fois que vous chantez une parole, prenez soin d'indiquer du doigt sa correspondance écrite.
- Expliquez ensuite aux enfants comment les mots se présentent à l'écrit ; ils sont séparés par des espaces.
- Par la suite, à l'aide de la chanson inscrite au tableau, expliquez aux enfants quelle est la signification des termes suivants : titre, mot, lettre, ligne, avant, après, premier, dernier, début et fin.
- Demandez à quelques enfants de vous indiquer, à tour de rôle, un des mots écrits que vous venez de prononcer (ou tout autre élément du texte). Les enfants interrogés devraient être en mesure de répondre correctement aux questions puisqu'ils connaissent déjà les paroles de la chanson.
- Distribuez aux enfants la feuille reproductible 1.1 (voir la page 16) en leur donnant les consignes suivantes :

  1. Souligne d'un trait rouge le titre de la chanson.
  2. Fais un X sur le mot *forêt* qui apparaît dans le titre de la chanson.
  3. Fais un X sur le mot *forêt* qui apparaît dans le texte en dessous du titre.
  4. Encercle d'un trait bleu les mots *coucou* du texte.
  5. Encercle d'un trait bleu le premier mot du texte.
  6. Encercle d'un trait vert le dernier mot du texte.
  7. Souligne d'un trait jaune la dernière ligne de la chanson.
  8. Compte le nombre de petits mots *on* contenus dans le texte. Écris ta réponse dans le cercle situé à droite du texte.
  9. Illustre la chanson dans le carré qui est situé en dessous du texte.

Nom : ____________________ Date : ____________

Feuille reproductible 1.1 Dans la forêt lointaine

Dans la forêt lointaine

Dans la forêt lointaine,
On entend le coucou.
Du haut de son grand chêne
Il répond au hibou :
Coucou, coucou.
On entend le coucou.

Activité 2 Des mots et des lettres

Objectifs

- Développer la conscience métalinguistique.
- Développer la conscience lexicale.
- Développer la compréhension des termes relatifs à l'écrit.
- Développer la compréhension des termes relatifs aux notions spatiales.

Matériel : Feuilles reproductibles 2.1 à 2.4, *Des mots et des lettres*

Public cible : Maternelle et premier cycle

Préalable : Activité *Dans la forêt lointaine* (voir la page 15)

Déroulement de l'activité

- Distribuez les feuilles reproductibles 2.1 à 2.4 (voir les pages 19 à 22) à chacun des élèves. Écrivez au tableau le premier mot (*domino*) de l'exemple qui suit en mettant la lettre en caractère gras d'une couleur différente afin qu'elle ressorte clairement. À l'aide du mot écrit au tableau, expliquez aux enfants les termes correspondants aux notions spatiales suivantes : avant, après, première, dernière, début et fin.
- Poursuivez l'activité en donnant les consignes suivantes :

  Exemple :

  domino (exemple pour amorcer l'activité)
  a. Fais un X sur la lettre qui se situe avant celle qui est en gras.
  b. Encercle la première lettre du mot.

  1. papillon
     a. Encercle le ou les mots *papillon* cachés parmi les lettres présentées.
     b. Écris le nombre de mots *papillon* que tu as trouvés.
  2. tournesol
     a. Souligne toutes les lettres du mot, sauf la première.
     b. Fais un X sur la lettre qui se situe avant celle qui est en gras.
  3. kangourou
     a. Trois mots sont écrits : encercle le mot *kangourou.*
     b. Encercle les première et dernière lettres de ce mot.
  4. téléphone
     a. Fais un X sur la lettre qui se situe avant celle qui est en gras.
     b. Encercle la deuxième lettre de ce mot.
  5. pantalon
     a. Encercle le ou les mots *pantalon* cachés parmi les lettres présentées.
     b. Écris le nombre de mots *pantalon* que tu as trouvés.
  6. hélicoptère
     a. Encercle le mot *hélicoptère.*
     b. Fais un X sur le mot écrit en lettres majuscules.

7. para**p**luie
   a. Souligne toutes les lettres de ce mot, sauf la première.
   b. Fais un X sur la lettre qui se situe avant celle qui est en gras.

8. gren**o**uille
   a. Fais un X sur les première et dernière lettres de ce mot.
   b. Souligne la lettre au début du mot et celle qui est en gras.

9. hippopotame
   a. Trois mots sont écrits ; encercle le mot *hippopotame.*
   b. Encercle la deuxième lettre de ce mot.

10. éléphant
    a. Trois mots sont écrits ; encercle le mot *éléphant.*
    b. Encercle la première lettre de ce mot.

11. dro**m**adaire
    a. Souligne toutes les lettres de ce mot, sauf la dernière.
    b. Fais un X sur la lettre qui se situe avant celle qui est en gras.

12. crocodil**e**
    a. Fais un X sur les première et dernière lettres de ce mot.
    b. Souligne la lettre au début du mot et celle qui est en gras.

13. autobus
    a. Encercle le ou les mots *autobus* cachés parmi les lettres présentées.
    b. Écris le nombre de mots *autobus* que tu as trouvés.

14. pou
    a. Trois mots sont écrits ; encercle le mot *pou.*
    b. Encercle la deuxième lettre de ce mot.

15. caméra
    a. Encercle le ou les mots *caméra* cachés parmi les lettres présentées.
    b. Écris le nombre de mots *caméra* que tu as trouvés.

16. auto**m**obile
    a. Fais un X sur la lettre qui se situe avant celle qui est en gras.
    b. Encercle la première lettre de ce mot.

17. balançoire
    a. Encercle tous les mots *balançoire.*
    b. Encercle les première et dernière lettres de tous les mots.

18. limonade
    a. Encercle le ou les mots *limonade* cachés parmi les lettres présentées.
    b. Fais un X sur le mot écrit en lettres majuscules.

19. lavabo
    a. Fais un X sur la lettre qui se situe avant celle qui est en gras.
    b. Encercle la deuxième lettre de ce mot.

Nom : ______________________ Date : ______________

Feuille reproductible 2.1 Des mots et des lettres

Exemple :

1. 

papillon

papillepapapastillepapillonpupille

Nombre de mots trouvés : __________

2. 

to**u**rnesol

3. 

pou lit kangourou

4. 

tél**é**phone

Nom : ______________________ Date : ______________

Feuille reproductible 2.2 Des mots et des lettres

5. 

pantalon

pantalonpatatetalonpantalon

Nombre de mots trouvés : __________

6. 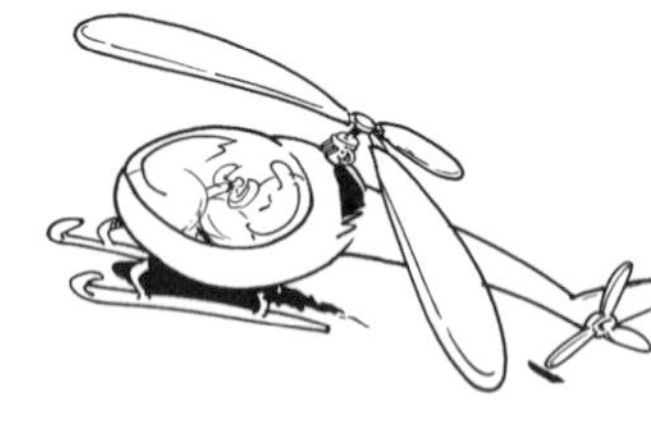

ppptdkkle hélicoptère HÉLICOPTÈRE

7. 

para**p**luie

8. 

gren**o**uille

9. 

chat hippopotame papa

Nom : ______________________ Date : ______________

Feuille reproductible 2.3 Des mots et des lettres

10.  télé mot éléphant

11.  dro**m**adaire

12.  crocodil**e**

13. 

autobus

busautobulleautobusautobusbusauto

Nombre de mots trouvés : __________

14.  crocodile autobus pou

Nom : ______________________ Date : ______________

Feuille reproductible 2.4 Des mots et des lettres

15. 

caméra

canadacanardcannemétanecaméra

Nombre de mots trouvés : __________

16. 

automo**o**bile

17. 

balançoire

balançoire *balançoire*

BALANÇOIRE balancer

balançoire balance

18. 

limonade

limonadeLIMElimettenattelimonademonaie

19.

la**v**abo

Activité 3 Repérage

Objectifs

- Développer la voie d'adressage.
- Développer le repérage.
- Développer la création d'images visuelles.

Matériel : Feuilles reproductibles 3.1 et 3.2, *Repérage*

Public cible : Maternelle et premier cycle

Préalable : Aucun

Déroulement de l'activité

- Distribuez les feuilles reproductibles 3.1 et 3.2 (voir les pages 24 et 25) à chacun des élèves.
- Reproduisez au tableau l'exemple présenté sur la feuille reproductible 3.1.
- À l'aide de cet exemple, expliquez le déroulement de l'activité en donnant les indications suivantes :

  1. Regarde attentivement le mot encadré. À mon signal, tu devras encercler les mots qui lui sont identiques. Attention, tu disposes d'un temps limité pour accomplir cette tâche ; lorsque je dirai le mot *fin*, tu devras déposer ton crayon.
  2. Poursuivez l'exercice de la même manière en utilisant les neuf groupes de mots proposés sur les feuilles reproductibles.

     Exemple : fille, bille, folle, balle, ville

     1. mère, père, frère, mer
     2. tête, fête, bête, tète
     3. main, pain, bain, mais
     4. pomme, gomme, homme, comme, bonne
     5. bouche, mouche, louche, douche, souche
     6. maison, raison, saison, maçon, mais, masse
     7. rasoir, avoir, savoir, bavoir, soir
     8. poule, moule, boule, roule, loupe, pou
     9. page, plage, âge, mage, rage, sage

Remarque : La limite de temps imposée à l'enfant oblige ce dernier à traiter le mot dans son ensemble, soit par adressage.

Nom : ______________________________ Date : ______________

Feuille reproductible 3.1 Repérage

Exemple :

fille

(fille), bille, (*fille*), folle, *folle*, balle,

(fille), bille, (fille), ville, (**FILLE**), bille,

(fille), (**fille**), *folle*, (*fille*), *ville*, (**fille**)

1.

mère

mère, **mère**, père, *mère*, mer, frère, père,

père, PÈRE, mer, mer, mère, MÈRE, *mère*,

mer, *père*, PÈRE

2.

tête

tète, **tête**, ***tête***, **fête**, FÊTE, bête, *bête*, tète,

fête, tète, ***tète***, ***TÊTE***, *bête*, *tête*, tète

3.

main

mais, Main, *main*, *mais*, pain, *bain*, mais,

pain, main, main, pain, MAIN

4.

pomme

Homme, *gomme*, pomme, gomme,

pomme, *bonne*, homme, comme,

homme, pomme, gomme, comme

Nom : ______________________ Date : ______________

Feuille reproductible 3.2 Repérage

5. 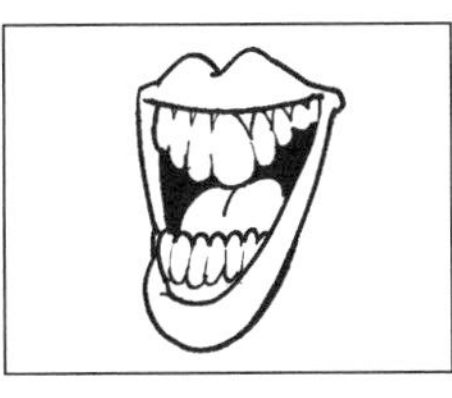

bouche

douche, *douche*, **bouche**, **mouche**, louche, *douche*, douche, *bouche*, **louche**, **souche**, **bouche**, *bouche*

6. 

maison

saison, *saison*, masse, *maison*, raison, saison, maçon, mais, **maison**, **maçon**, saison

7. 

rasoir

soir, savoir, *bavoir*, *avoir*, **soir**, **rasoir**, **RASOIR**, **soir**, **savoir**, **avoir**, **avoir**, **savoir**

8. 

poule

boule, ***boule***, poule, *poule*, moule, loupe, loupe, pou, boule, roule, POULE

9. 

page

Rage, plage, plage, sage, page, plage, âge, mage, âge, ***plage***, mage, sage, page

Activité 4 Voyons les voyelles

Objectifs

- Développer la voie d'assemblage.
- Développer la voie d'adressage.
- Développer le système alphabétique.
- Développer le repérage graphosémantique.

Matériel : Feuille reproductible 4.1, *Voyons les voyelles*

Public cible : Premier cycle

Préalables

- Activités portant sur les notions de base
- Activités précédentes portant sur le traitement phonologique
- Correspondance des phonèmes/graphèmes des consonnes et des voyelles simples
- Enseignement des notions de voyelle et de consonne

Déroulement de l'activité

- Distribuez la feuille reproductible 4.1 (voir la page 27) à chacun des élèves.
- Reprenez au tableau l'exemple présenté sur la feuille reproductible.
- À l'aide de cet exemple, expliquez aux élèves qu'ils auront à encercler les voyelles contenues dans chaque groupe de mots.
- Employez la phrase suivante pour signifier aux enfants que l'exercice commence : « Encercle toutes les voyelles des mots du groupe 1. »
- Passez au groupe de mots suivants jusqu'à ce que les huit groupes suggérés soient épuisés.

  Exemple : bébé, arbre, animal

  1. renard, cheval, fille
  2. forêt, gros, été
  3. pas, être, porte
  4. ami, or, alors
  5. pays, trop, voyage
  6. dé, mère, patte
  7. près, vu, quel
  8. domino, table, paysage

Nom : ______________________ Date : ______________

Feuille reproductible 4.1 Voyons les voyelles

Exemple :

bébé arbre animal

1.	renard	cheval	fille
2.	forêt	gros	été
3.	pas	être	porte
4.	ami	or	alors
5.	pays	trop	voyage
6.	dé	mère	patte
7.	près	vu	quel
8.	domino	table	paysage

Activité 5 L'image des mots

Objectifs

- Développer la voie d'adressage.
- Développer la création d'images visuelles.
- Développer la mémoire de travail visuelle.

Matériel : Feuilles reproductibles 5.1 et 5.2, *L'image des mots*

Public cible : Premier cycle

Préalables

- Activités portant sur les notions de base
- Correspondance des phonèmes et des graphèmes simples

Déroulement de l'activité

- Distribuez la feuille reproductible 5.1 (voir la page 31) à chacun des élèves.
- Reprenez au tableau l'exemple présenté sur la feuille reproductible 5.1.
- À l'aide de cet exemple, expliquez les règles du jeu en vous servant des phrases suivantes : « Je vais te montrer le mot *seau* pendant quelques secondes, le temps que tu t'en fasses une image mentale. Puis, je vais le cacher. Tu devras répondre aux questions que je te poserai en visualisant l'image du mot qui est dans ta tête, puis en encerclant tes réponses dans la colonne appropriée de la feuille reproductible. »
- Poursuivez l'exercice de la même manière en utilisant les neuf mots proposés dans la feuille reproductible.

seau (exemple pour amorcer l'activité)

a. Combien de *a* vois-tu dans le mot *seau* ? Encercle ta réponse.
b. Quelle lettre vient après la lettre *e* ? Encercle ta réponse.
c. Quelle lettre vient avant la lettre *u* ? Encercle ta réponse.
d. Quelle est la dernière lettre du mot ? Encercle ta réponse.
e. Sur la ligne, écris le mot à l'envers, donc en commençant par la dernière lettre.

1. doigt
   a. Combien de *a* vois-tu dans le mot *doigt* ? Encercle ta réponse.
   b. Quelle lettre vient après la lettre *o* ? Encercle ta réponse.
   c. Quelle lettre vient avant la lettre *t* ? Encercle ta réponse.
   d. Quelle est la deuxième lettre du mot ? Encercle ta réponse.
   e. Sur la ligne, écris le mot à l'envers, donc en commençant par la dernière lettre.

2. feuille
   a. Combien de *e* vois-tu dans le mot *feuille*? Encercle ta réponse.
   b. Quelle lettre vient après la lettre *u*? Encercle ta réponse.
   c. Quelle lettre vient avant la dernière lettre du mot? Encercle ta réponse.
   d. Quelle est la troisième lettre du mot? Encercle ta réponse.
   e. Sur la ligne, écris le mot à l'envers, donc en commençant par la dernière lettre.

3. fraise
   a. Combien de *e* vois-tu dans le mot *fraise*? Encercle ta réponse.
   b. Quelle lettre vient après la lettre *s*? Encercle ta réponse.
   c. Quelle lettre vient avant la lettre *i*? Encercle ta réponse.
   d. Quelle est la dernière lettre du mot? Encercle ta réponse.
   e. Sur la ligne, écris le mot à l'envers, donc en commençant par la dernière lettre.

4. soleil
   a. Combien de *l* vois-tu dans le mot *soleil*? Encercle ta réponse.
   b. Quelle lettre vient après la lettre *o*? Encercle ta réponse.
   c. Quelle lettre vient avant la lettre *i*? Encercle ta réponse.
   d. Quelle est la dernière lettre du mot? Encercle ta réponse.
   e. Sur la ligne, écris le mot à l'envers, soit en commençant par la dernière lettre.

5. sept
   a. Combien y a-t-il de lettres dans le mot *sept*? Encercle ta réponse.
   b. Quelle lettre vient après la lettre *e*? Encercle ta réponse.
   c. Quelle lettre vient avant la lettre *t*? Encercle ta réponse.
   d. Quelle est la deuxième lettre du mot? Encercle ta réponse.
   e. Sur la ligne, écris le mot à l'envers, soit en commençant par la dernière lettre.

6. crayon
   a. Combien y a-t-il de lettres *i* dans le mot *crayon*? Encercle ta réponse.
   b. Quelle lettre vient après la lettre *a*? Encercle ta réponse.
   c. Quelle lettre vient avant la lettre *n*? Encercle ta réponse.
   d. Quelle est l'avant-dernière lettre du mot? Encercle ta réponse.
   e. Sur la ligne, écris le mot à l'envers, donc en commençant par la dernière lettre.

7. chien
   a. Combien y a-t-il de lettres dans le mot *chien*? Encercle ta réponse.
   b. Quelle lettre vient après la lettre *i*? Encercle ta réponse.
   c. Quelle lettre vient avant la lettre *n*? Encercle ta réponse.
   d. Quelle est la deuxième lettre du mot? Encercle ta réponse.
   e. Sur la ligne, écris le mot à l'envers, soit en commençant par la dernière lettre.

8. cœur
   a. Combien y a-t-il de lettres dans le mot *cœur*? Encercle ta réponse.
   b. Quelle lettre vient après la lettre *o*? Encercle ta réponse.
   c. Quelle lettre vient avant la lettre *o*? Encercle ta réponse.
   d. Quelle est la première lettre du mot? Encercle ta réponse.
   e. Sur la ligne, écris le mot à l'envers, donc en commençant par la dernière lettre.

9. pied
   a. Combien y a-t-il de lettres dans le mot *pied*? Encercle ta réponse.
   b. Quelle lettre vient après la lettre *e*? Encercle ta réponse.
   c. Quelle lettre vient avant la lettre *i*? Encercle ta réponse.
   d. Quelle est la dernière lettre du mot? Encercle ta réponse.
   e. Sur la ligne, écris le mot à l'envers, soit en commençant par la dernière lettre qui le compose.

Remarque: L'important dans cette activité est de présenter des mots nécessitant le recours à la forme visuelle, et non à la forme auditive, pour que l'enfant soit en mesure de répondre correctement aux questions qui lui seront posées. Par exemple, le mot *beau* présente un *o* sous sa forme auditive, mais pas sous sa forme écrite. Le *e* contenu dans ce mot n'est également présent qu'à l'écrit. Ainsi, les enfants ne pourront avoir recours à l'évocation orale pour répondre à certaines questions.

Nom : ______________________ Date : ______________

Feuille reproductible 5.1 L'image des mots

Exemple :

1. a) 0 ① 2 3
   b) o ⓐ i s
   c) o ⓐ i s
   d) o ⓤ i s
   e) u a e s

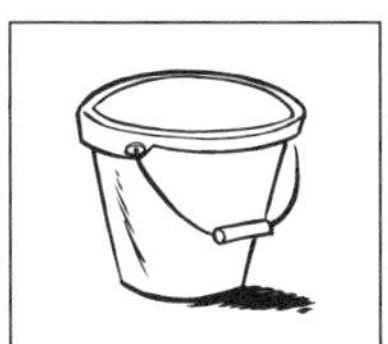

1. a) 0 1 2 3
   b) a i d t
   c) d b g o
   d) d t i o
   e) ______________

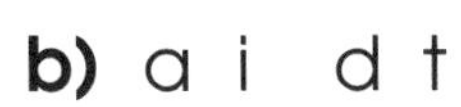

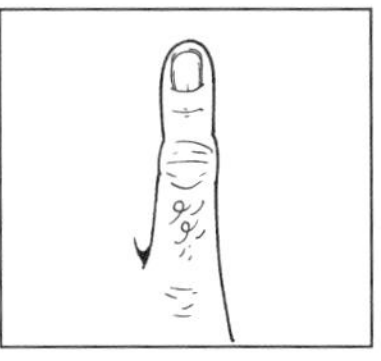

2. a) 0 1 2 3
   b) l i f u
   c) e u l i
   d) e u l i
   e) ______________

3. a) 0 1 2 3
   b) s i f e
   c) r a f e
   d) r a f e
   e) ______________

4. a) 0 1 2 3
   b) i e s l
   c) l e s l
   d) l e s l
   e) ______________

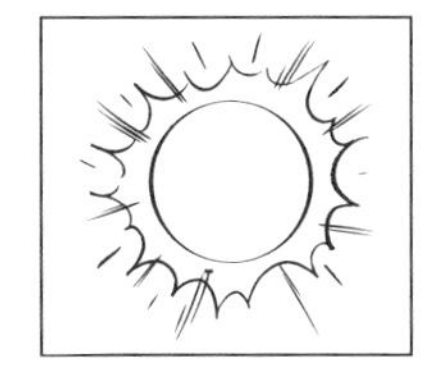

5. a) 1 2 3 4
   b) p e s t
   c) p e s t
   d) i e s t
   e) ______________

7

6. a) 0 1 2 3
   b) o n r y
   c) o n r y
   d) o n r y
   e) ______________

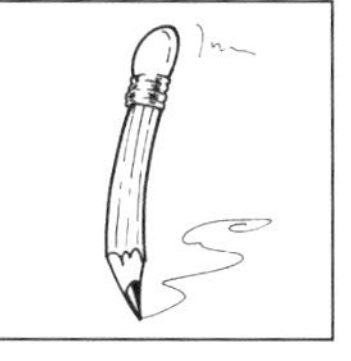

7. a) 2 3 4 5
   b) n h i e
   c) n h l e
   d) n h l e
   e) ______________

8. a) 2 3 4 5
   b) c e r o
   c) c e r o
   d) c e r o
   e) ______________

9. a) 2 3 4 5
   b) e p i d
   c) e p i d
   d) e p i d
   e) ______________

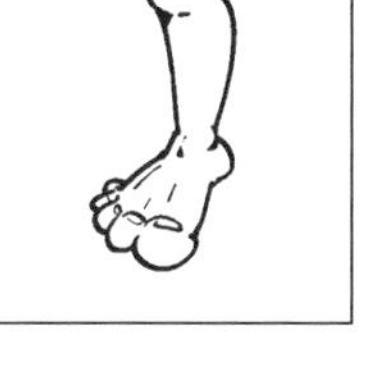

Activité 6 À la recherche de la syllabe

Objectifs

- Développer la voie d'assemblage.
- Développer le traitement syllabique.

Matériel : Feuille reproductible 6.1, *À la recherche de la syllabe*

Public cible : Maternelle et premier cycle

Préalable : Activités portant sur les notions de base

Déroulement de l'activité

- Distribuez la feuille reproductible 6.1 (voir la page 33) à chacun des élèves.
- Reprenez au tableau l'exemple présenté sur la feuille reproductible.
- À l'aide de cet exemple, expliquez aux élèves qu'ils auront à reconnaître certaines syllabes.
- Rappelez aux enfants la notion de syllabe. Expliquez-leur que, sur la feuille reproductible, chaque syllabe d'un mot est représentée par un cercle.
- Invitez un enfant de la classe à venir au tableau. Demandez-lui de vous indiquer dans quel cercle se situe la syllabe *no* du mot *domino.* Par la suite, demandez-lui de vous dire où cette syllabe se situe dans le mot : au début, au milieu ou à la fin. Faites de même pour les syllabes *do* et *mi.*
- Interrogez un autre élève de la classe. Demandez-lui de nommer les dernière et première syllabes du mot de l'exemple. Au moment où il les nomme, il devra pointer du doigt les syllabes affichées au tableau.
- Expliquez les règles du jeu à l'aide de la phrase suivante : « Fais un X dans le cercle dans lequel tu entends la syllabe… »
- Poursuivez l'exercice de la même manière en utilisant les dix mots proposés sur la feuille reproductible.

  Exemple : *mi* dans le mot *domino* (do-mi-no) (3 cercles)

  1. *cha* dans le mot *chapeau* (cha-peau) (2 cercles)
  2. *bour* dans le mot *tambour* (tam-bour) (2 cercles)
  3. *trac* dans le mot *tracteur* (trac-teur) (2 cercles)
  4. *pi* dans le mot *champignon* (cham-pi-gnon) (3 cercles)
  5. *ta* dans le mot *pantalon* (pan-ta-lon) (3 cercles)
  6. *car* dans le mot *escargot* (es-car-got) (3 cercles)
  7. *tau* dans le mot *restaurant* (res-tau-rant) (3 cercles)
  8. *mo* dans le mot *locomotive* (lo-co-mo-tive) (4 cercles)
  9. *la* dans le mot *ventilateur* (ven-ti-la-teur) (4 cercles)
  10. *ra* dans le mot *aspirateur* (as-pi-ra-teur) (4 cercles)

Remarque : Lorsque vous annoncez le mot cible aux élèves, il est important de ne pas prononcer le *e* muet à la fin du mot, à moins que vous ne travailliez l'orthographe des mots.

Nom : ______________________ Date : ______________

Feuille reproductible 6.1 À la recherche de la syllabe

Exemple :

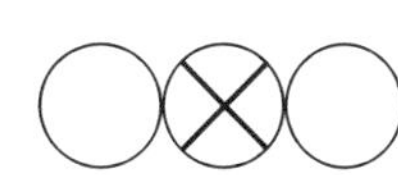

1.  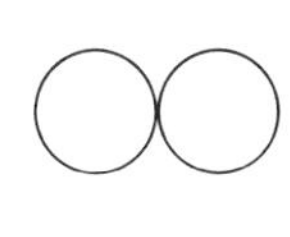

6.  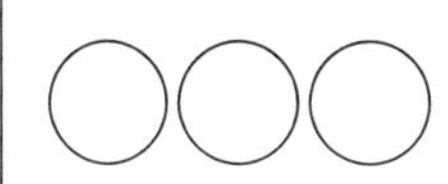

2.  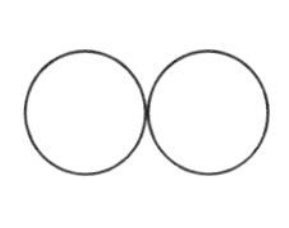

7.  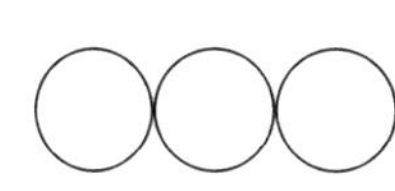

3.  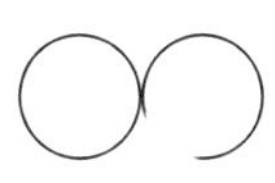

8.  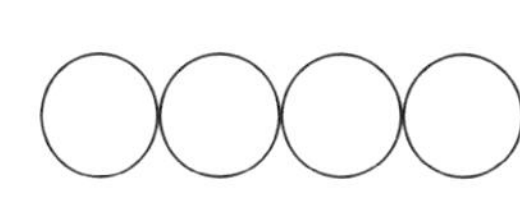

4.  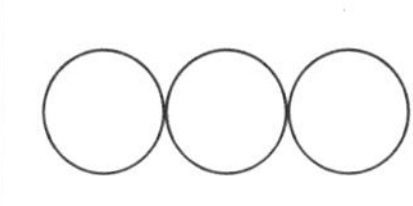

9. 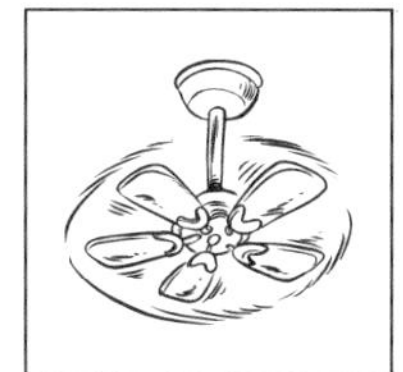 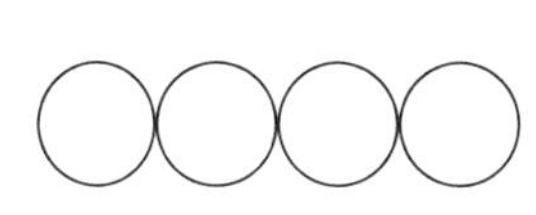

5.  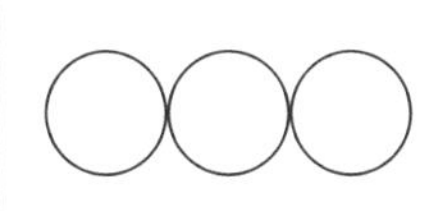

10. 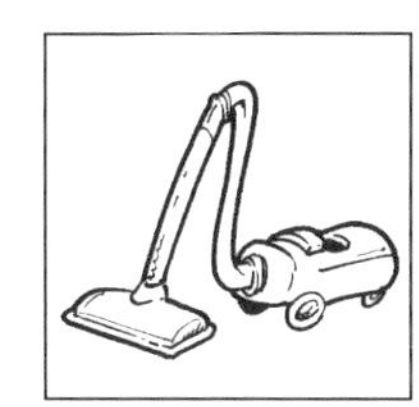 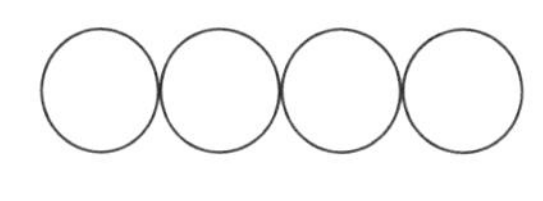

Activité 7 Pareil, pas pareil

Objectifs

- Développer la voie d'assemblage.
- Développer le traitement phonémique.

Matériel : Feuilles reproductibles 7.1 à 7.3, *Pareil, pas pareil*

Public cible : Maternelle et premier cycle

Préalables

- Activités portant sur les notions de base
- Activité *À la recherche de la syllabe* (voir la page 32)

Déroulement de l'activité

- Distribuez les feuilles reproductibles 7.1 à 7.3 (voir les pages 36 à 38) à chacun des élèves.
- Reprenez au tableau l'exemple présenté sur la feuille reproductible 7.1.
- À l'aide de cet exemple, expliquez les règles du jeu en vous servant des phrases suivantes : « Écoute attentivement ; je vais te nommer quatre images. Tu devras encercler les deux images dont le nom commence par le son... » Nommez les quatre images, puis encerclez les deux images dont le nom commence par le son cible.
- Poursuivez l'exercice de la même manière en utilisant les vingt groupes d'images proposés sur les feuilles reproductibles.

  Exemple : *robot, raisins, lapin, tambour.* Encercle les deux images dont le nom commence par le son [**r**].

  1. *hache, jouets, chapeau, chameau.* Encercle les deux images dont le nom commence par le son [**ch**].
  2. *fourmi, vache, œuf, fantôme.* Encercle les deux images dont le nom commence par le son [**f**].
  3. *tasse, sapin, soleil, zèbre.* Encercle les deux images dont le nom commence par le son [**s**].
  4. *lit, roue, renard, souris.* Encercle les deux images dont le nom commence par le son [**r**].
  5. *lunette, lune, cheval, téléphone.* Encercle les deux images dont le nom commence par le son [**l**].
  6. *manteau, pomme, fantôme, maison.* Encercle les deux images dont le nom commence par le son [**m**].
  7. *canne, neige, lune, nuage.* Encercle les deux images dont le nom commence par le son [**n**].
  8. *rose, chaise, zoo, zèbre.* Encercle les deux images dont le nom commence par le son [**z**].

9. *cage, jouets, girafe, nuage.* Encercle les deux images dont le nom commence par le son [**j**].
10. *valise, vache, lavabo, cheval.* Encercle les deux images dont le nom commence par le son [**v**].
11. *pain, tulipe, lapin, pomme.* Encercle les deux images dont le nom commence par le son [**p**].
12. *ballon, poire, botte, robe.* Encercle les deux images dont le nom commence par le son [**b**].
13. *dauphin, tambour, tulipe, flûte.* Encercle les deux images dont le nom commence par le son [**t**].
14. *gâteau, sac, camion, carotte.* Encercle les deux images dont le nom commence par le son [**c**].
15. *domino, dauphin, coude, cadeau.* Encercle les deux images dont le nom commence par le son [**d**].
16. *carotte, garage, gâteau, bague.* Encercle les deux images dont le nom commence par le son [**gu**].
17. *fraise, chèvre, fromage, œuf.* Encercle les deux images dont le nom commence par le son [**f**].
18. *dragon, trésor, citrouille, tricycle.* Encercle les deux images dont le nom commence par le son [**t**].
19. *plante, bloc, table, blé d'Inde.* Encercle les deux images dont le nom commence par le son [**b**].
20. *boucle, clown, clé, sac.* Encercle les deux images dont le nom commence par le son [**c**].

Remarques

- Lorsque vous prononcez le mot cible à l'enfant, il est important de prononcer le son de la lettre et non son nom.
- Répétez plusieurs fois les mots aux élèves afin de leur permettre de bien les mémoriser.

Nom : ______________________________ Date : ______________

Feuille reproductible 7.1 Pareil, pas pareil

Exemple :

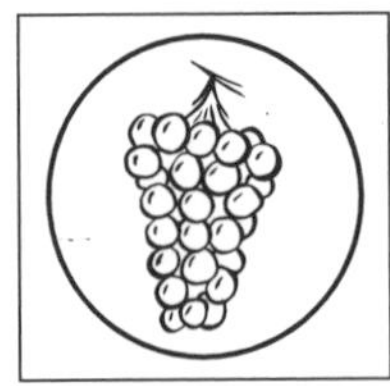

1.    

2.    

3.    

4.    

5.    

6. 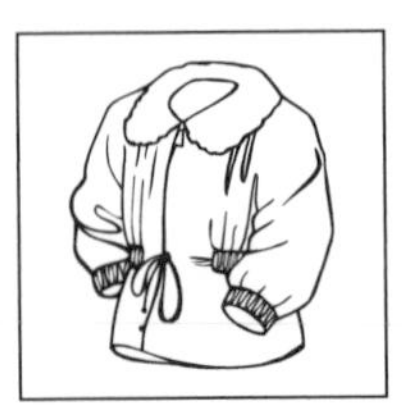   

Nom : ______________________________ Date : ____________________

Feuille reproductible 7.2 Pareil, pas pareil

7.    

8.   

9.    

10.    

11.    

12.    

13.    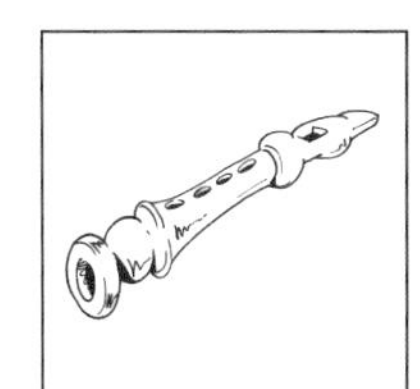

Nom : ______________________________ Date : ________________

Feuille reproductible 7.3 Pareil, pas pareil

14.    

15.    

16.    

17.   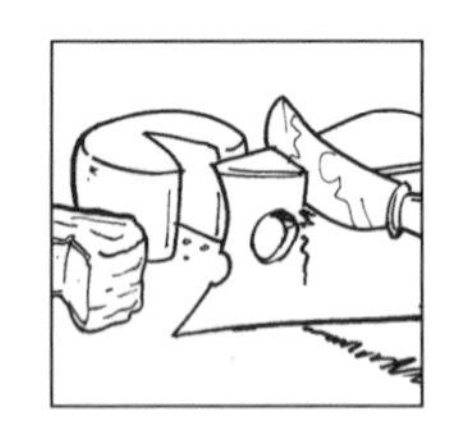 

18.    

19.  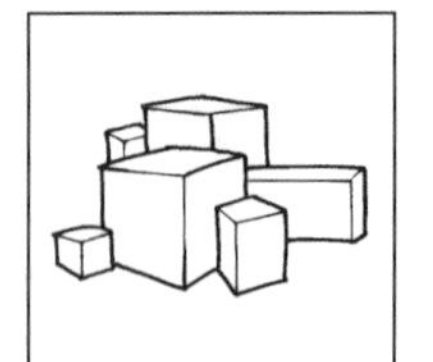 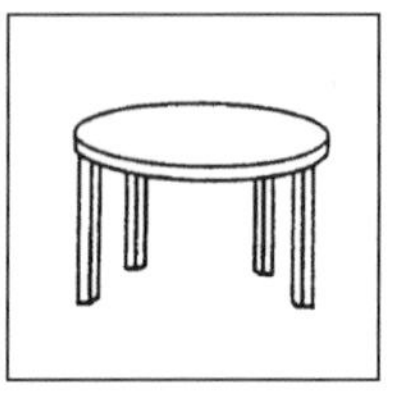 

20.   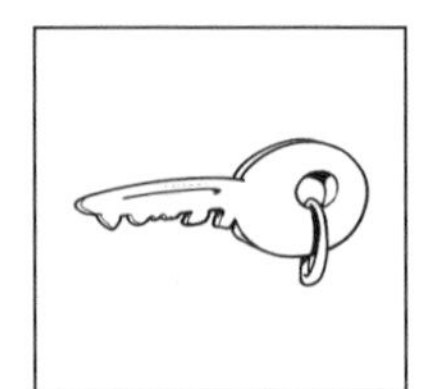 

Activité 8 À la recherche d'un son

Objectifs

- Développer la voie d'assemblage.
- Développer le traitement phonémique.

Matériel : Feuilles reproductibles 8.1 à 8.4, *À la recherche d'un son*

Public cible : Maternelle (séries 1 et 2) et premier cycle (séries 3 et 4)

Préalables

- Activités portant sur les notions de base
- Activités précédentes portant sur le traitement phonologique

Déroulement de l'activité

- Distribuez les feuilles reproductibles 8.1 et 8.2 (voir les pages 41 et 42) à chacun des élèves de maternelle et les feuilles reproductibles 8.3 et 8.4 (voir les pages 43 et 44) à chacun des élèves du premier cycle.

- Reprenez au tableau un des exemples présentés sur les feuilles reproductibles.

- À l'aide de cet exemple, donnez les explications suivantes tout en faisant la démonstration au tableau : « Je vais te dire un petit mot où chaque syllabe (1 pour les séries 1 et 3 ; 2 pour la série 2) est représentée par un grand cercle et chaque son par un petit cercle (2, 3 ou 4 selon la série utilisée). Lorsque je prononcerai le mot, regarde bien mon doigt ; il se déplacera d'un petit cercle à l'autre chaque fois que je prononcerai un son nouveau, et d'un grand cercle à l'autre chaque fois que je prononcerai une nouvelle syllabe. Si le mot n'a qu'une syllabe et deux sons, il n'y aura qu'un grand cercle et mon doigt sera sur le premier des petits cercles lorsque je prononcerai le premier son, et sur le second lorsque je prononcerai le deuxième son. »

- Poursuivez l'activité de la même manière en utilisant l'une ou l'autre des séries de mots proposées sur les feuilles reproductibles. Donnez la consigne suivante : « Écoute attentivement et regarde mon doigt se déplacer. Fais un X dans le petit cercle où tu entends le son… »

- Pour chacun des mots analysés, faites une démonstration de la démarche à suivre pour obtenir la bonne réponse en faisant déplacer votre doigt à deux reprises sur les composantes sonores du mot.

  Série 1

  Exemple : *r* dans le mot *r-iz*

  1. *a* dans le mot *a-s*
  2. *s* dans le mot *o-s*
  3. *l* dans le mot *l-it*
  4. *s* dans le mot *s-ou*
  5. *i* dans le mot *sc-ie*
  6. *m* dans le mot *m-ot*
  7. *r* dans le mot *r-oue*

8. *l* dans le mot *î-le*
9. *l* dans le mot *l-oup*
10. *u* dans le mot *r-ue*

Série 2

Exemple : *m* dans le mot *m-ou-t-on*

11. *a* dans le mot *ch-â-t-eau*
12. *é* dans le mot *f-u-s-ée*
13. *i* dans le mot *ou-t-ils*
14. *v* dans le mot *s-a-v-on*
15. *z* dans le mot *r-ai-s-in*
16. *t* dans le mot *b-a-t-eau*
17. *ai* dans le mot *m-ai-s-on*
18. *l* dans le mot *p-ou-l-et*
19. *r* dans le mot *r-o-b-ot*
20. *ou* dans le mot *s-ou-r-is*

Série 3

Exemple : *r* dans le mot *b-r-as*

21. *r* dans le mot *f-e-r-me*
22. *r* dans le mot *c-a-r-te*
23. *r* dans le mot *t-r-ou*
24. *r* dans le mot *p-o-r-te*
25. *r* dans le mot *c-r-aie*
26. *r* dans le mot *t-r-e-sse*
27. *r* dans le mot *f-r-ai-se*
28. *r* dans le mot *t-a-r-te*
29. *r* dans le mot *c-r-â-ne*
30. *r* dans le mot *l-i-v-re*
31. *r* dans le mot *t-i-g-re*
32. *r* dans le mot *c-r-oc*
33. *r* dans le mot *b-a-r-be*
34. *r* dans le mot *p-r-u-ne*
35. *r* dans le mot *f-ou-r-che*
36. *r* dans le mot *b-a-r-que*
37. *r* dans le mot *c-r-a-be*
38. *r* dans le mot *ch-è-v-re*
39. *r* dans le mot *ou-r-s*
40. *r* dans le mot *b-r-an-che*

Remarques

- Étirez la prononciation de chaque son qui compose le mot sans toutefois segmenter le mot en sons distincts.
- Ne prononcez pas le *e* à la fin d'un mot.

Nom : ______________________ Date : ______________

Feuille reproductible 8.1 À la recherche d'un son – série 1

Exemple :

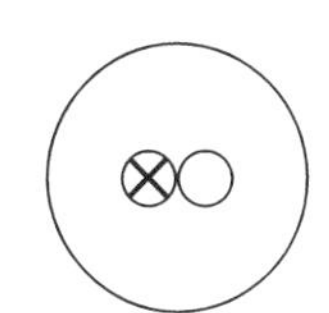

1.  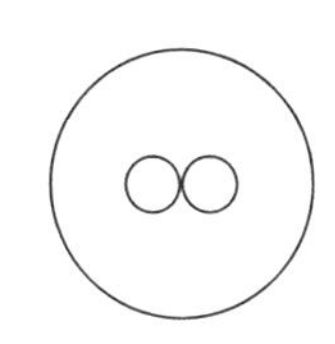

6. 

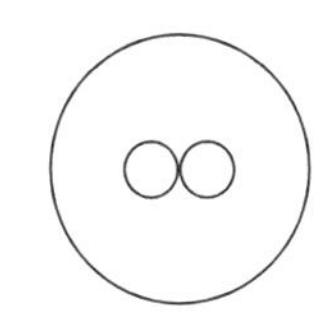

2. 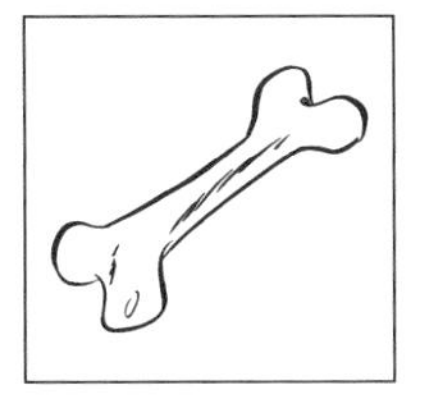 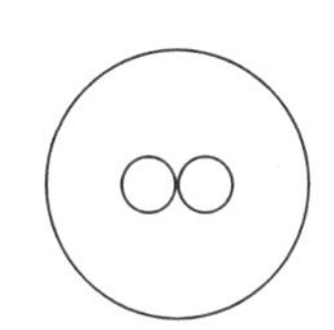

7. 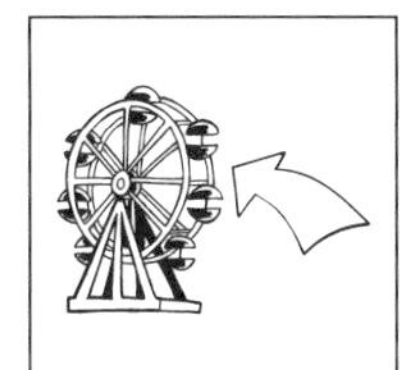 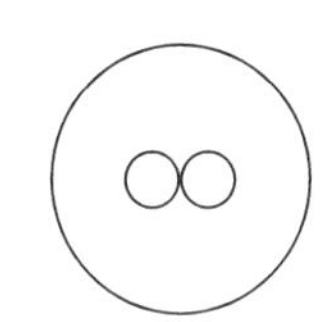

3.  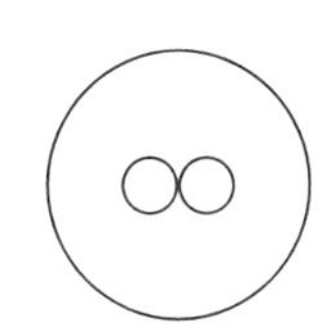

8.  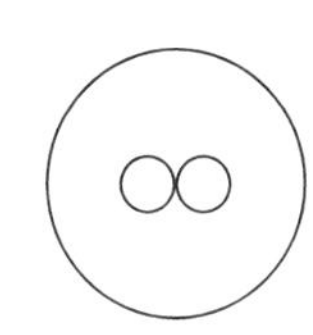

4.  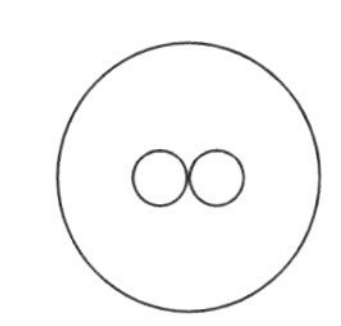

9.  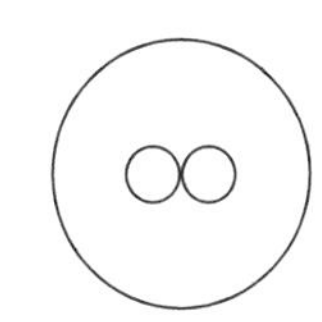

5.  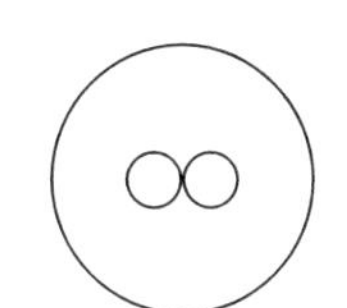

10.  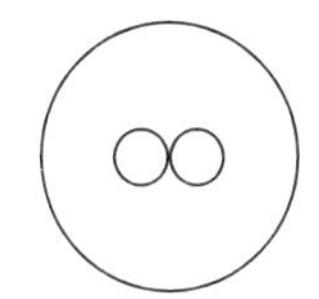

Nom : ______________________________ Date : ________________

Feuille reproductible 8.2 À la recherche d'un son – série 2

Exemple :

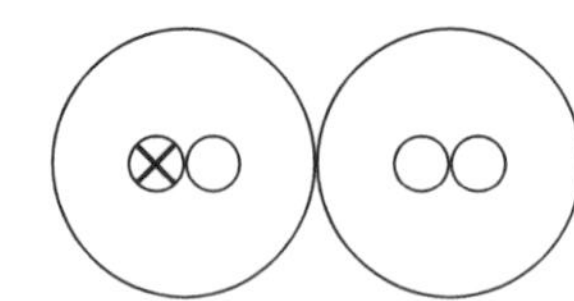

11.

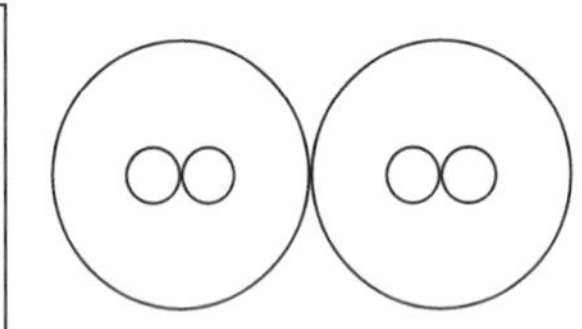

12.

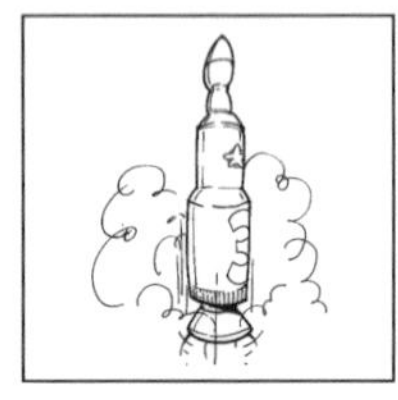

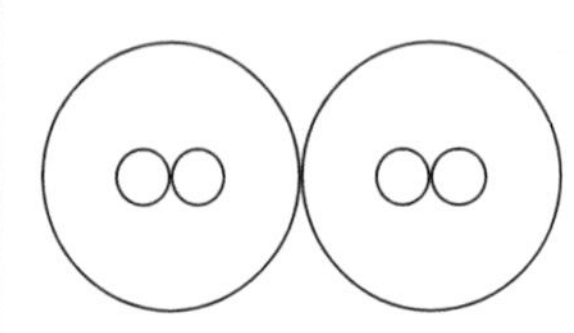

13.

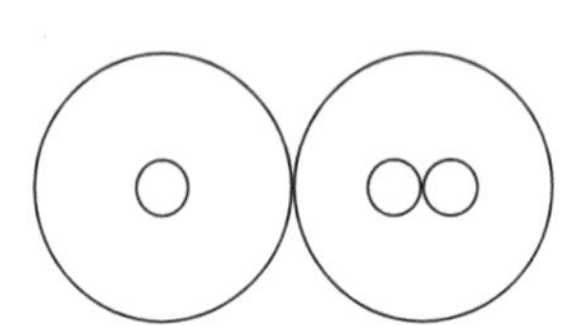

14.

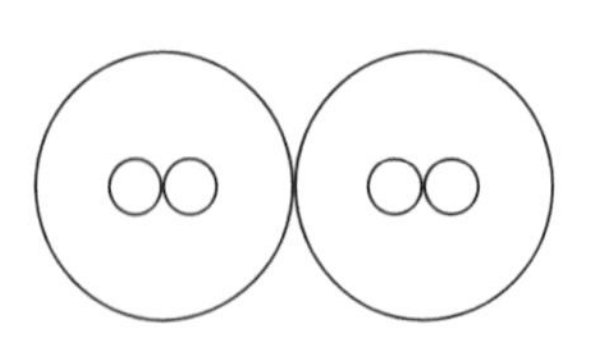

15.

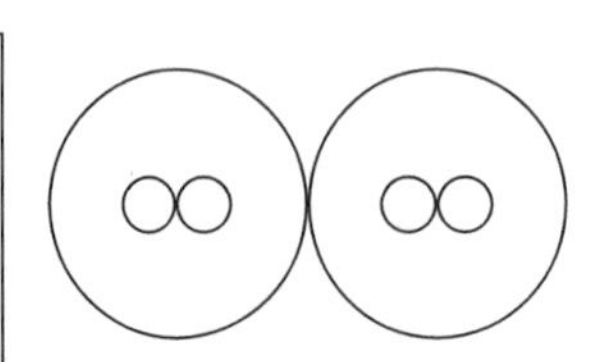

16.

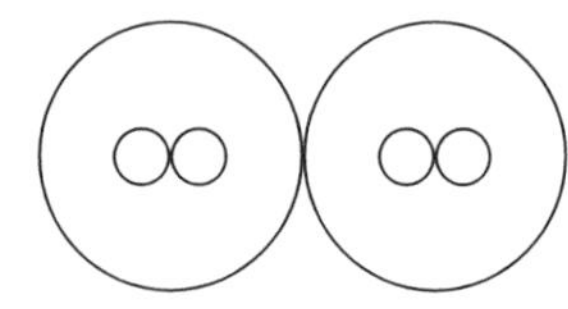

17.

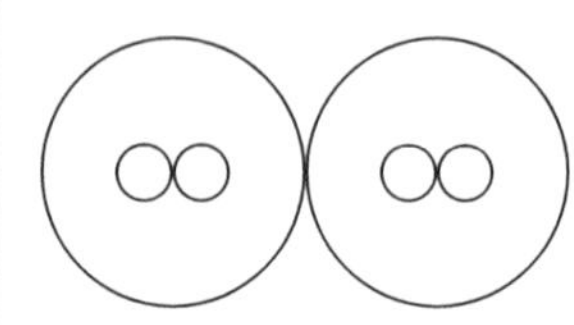

18.

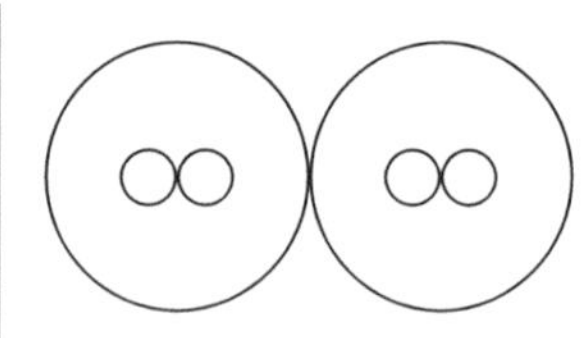

19.

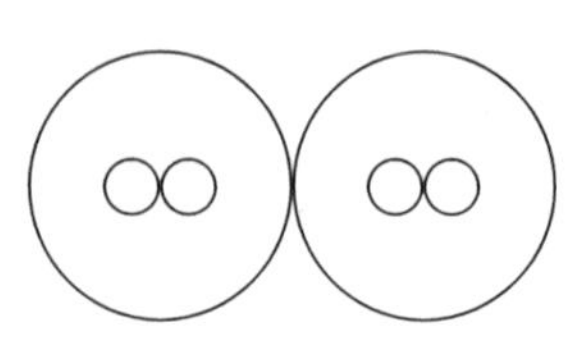

20.

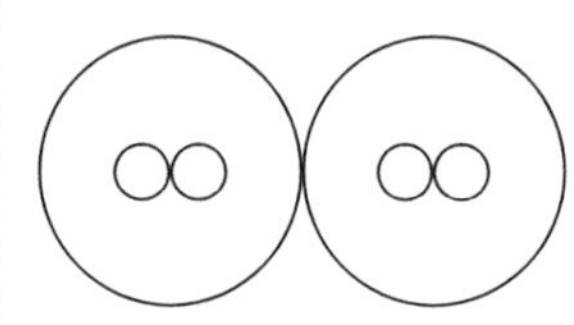

Nom : ______________________________ Date : ______________

Feuille reproductible 8.3 À la recherche d'un son – série 3

Exemple :

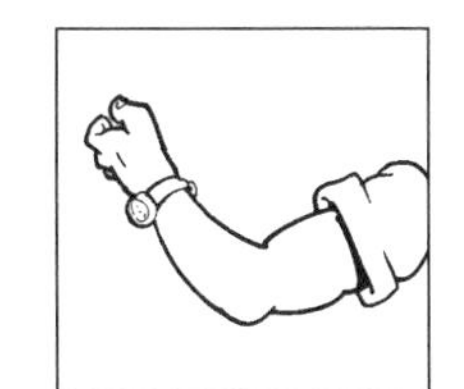

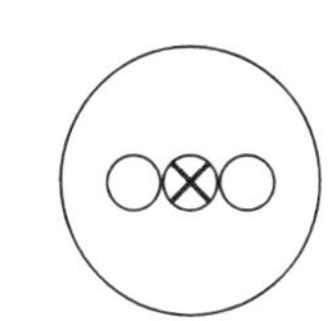

21.  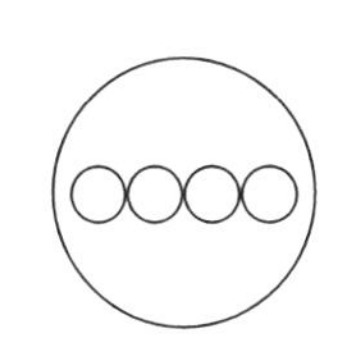

22.  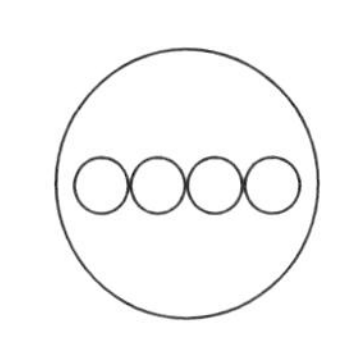

23. 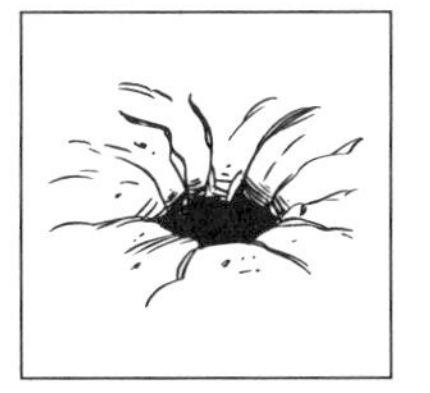 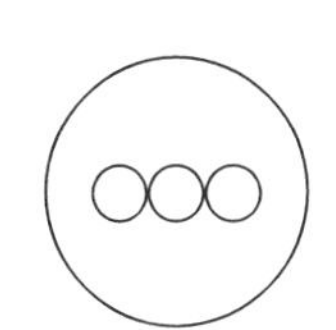

24.  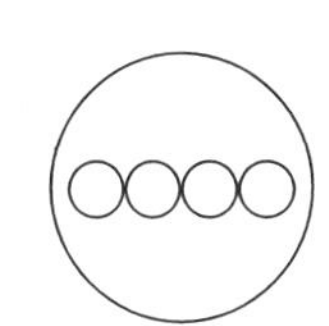

25. 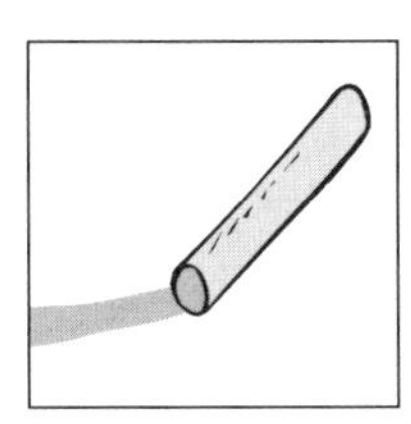 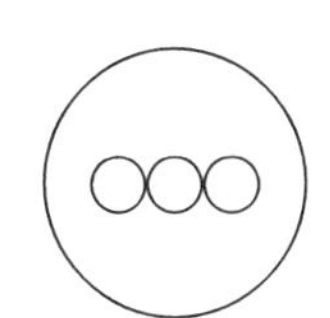

26.  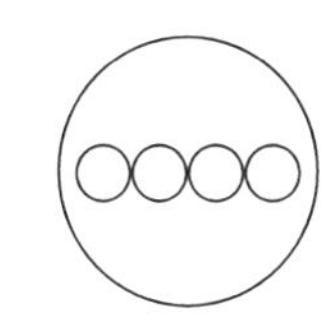

27.  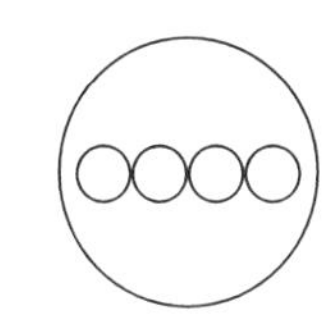

28.  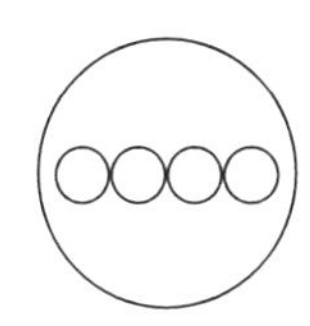

29. 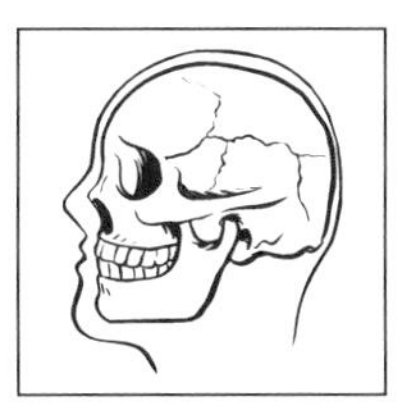 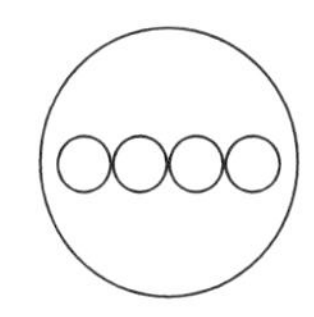

30.  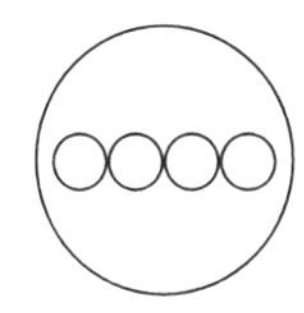

Nom : ______________________ Date : ______________

Feuille reproductible 8.4 À la recherche d'un son – série 3 (suite)

31.  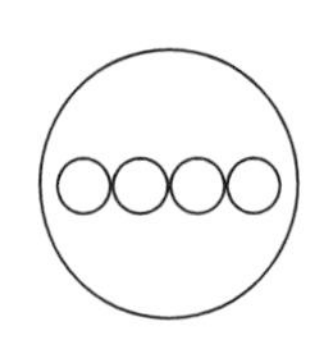

32.  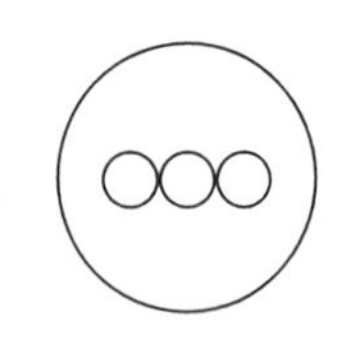

33.  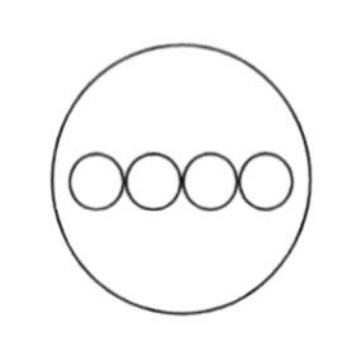

34.  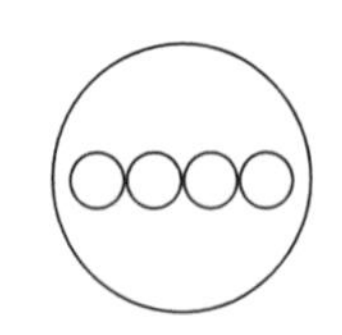

35.  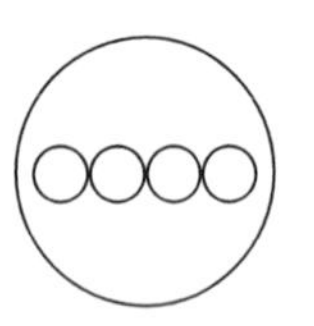

36.  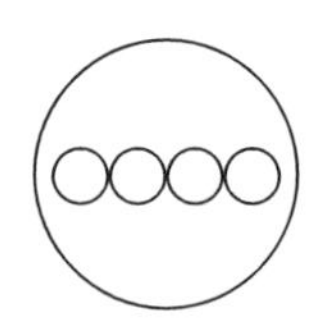

37.  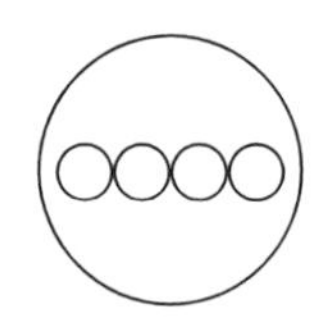

38.  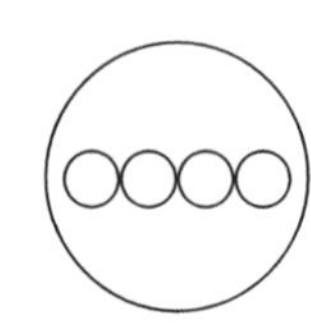

39.  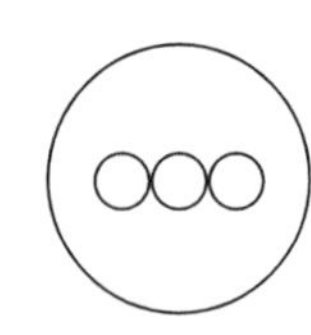

40.  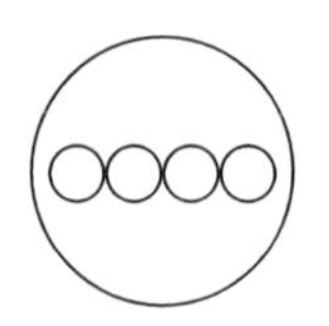

Activité 9 Et colle!

Objectifs

- Développer la voie d'assemblage.
- Développer le traitement phonémique.

Matériel : Feuilles reproductibles 9.1 et 9.2, *Et colle!*

Public cible : Maternelle et premier cycle

Préalables

- Activités portant sur les notions de base
- Activités précédentes portant sur le traitement phonologique

Déroulement de l'activité

- Distribuez les feuilles reproductibles 9.1 et 9.2 (voir les pages 46 et 47) à chacun des élèves.
- Reprenez au tableau l'exemple présenté sur la feuille reproductible.
- À l'aide de cet exemple, expliquez le déroulement de l'activité. Nommez les sons [**l**] et [**oup**] ; inscrivez-les au tableau et formez le mot *loup*. Sur la feuille reproductible, encerclez l'image qui correspond à ce mot.
- Expliquez les règles du jeu à l'aide des phrases suivantes : « Je vais prononcer deux sons. Tu devras les coller ensemble pour former un mot. Ensuite, tu encercleras l'image qui correspond à ce mot parmi les trois images qui apparaissent sur tes feuilles reproductibles. »
- Poursuivez l'exercice de la même manière en utilisant les 10 mots proposés sur les feuilles reproductibles. Répétez à trois reprises les sons de chacun des mots employés.

  Exemple : l-oup, l-oup, l-oup

  1. ch-ou, ch-ou, ch-ou
  2. b-as, b-as, b-as
  3. l-it, l-it, l-it
  4. r-ond, r-ond, r-ond
  5. ai-le, ai-le, ai-le
  6. d-ent, d-ent, d-ent
  7. ch-at, ch-at, ch-at
  8. sc-ie, sc-ie, sc-ie
  9. œu-f, œu-f, œu-f
  10. n-ez, n-ez, n-ez

Remarques

- Assurez-vous que le nom de chacun des mots illustrés est connu des enfants.
- Dites le son d'une lettre et non son nom.
- Ne prononcez pas les *e* muets.

Nom : ______________________ Date : ______________

Feuille reproductible 9.1 Et colle !

Exemple :

1\.

2\.

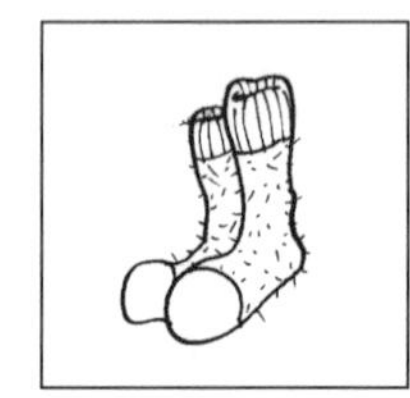

3\.

4\.

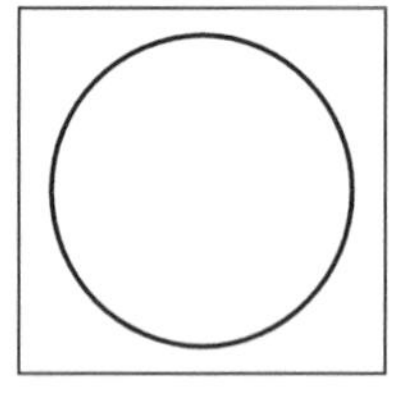

5\.

Nom : ______________________________ Date : ______________

Feuille reproductible 9.2 Et colle !

6. 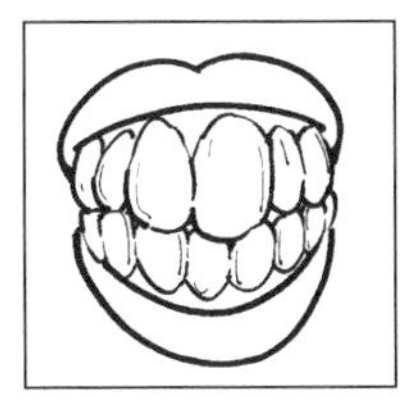  

7.   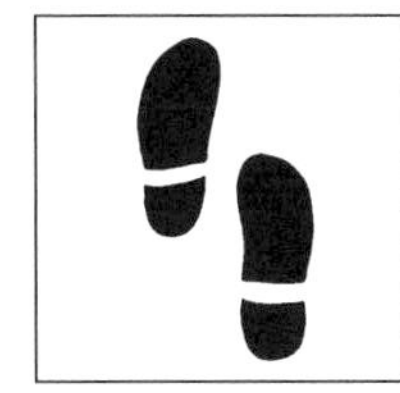

8.  

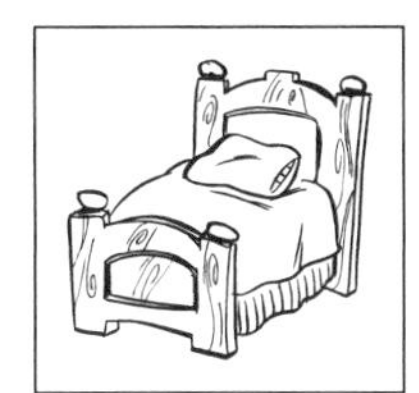

9.  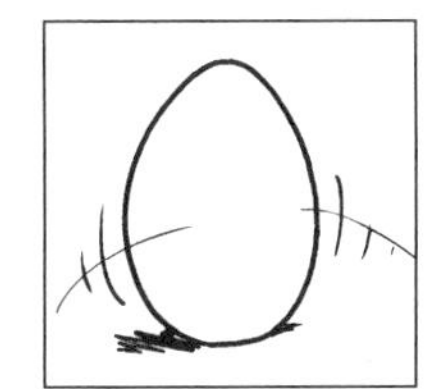 

10. 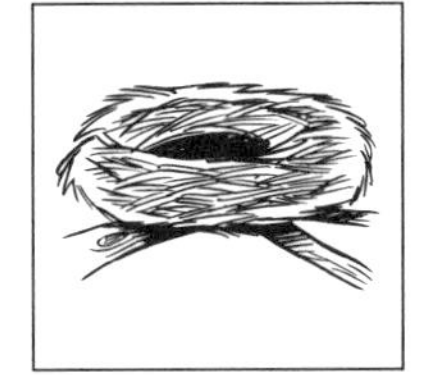  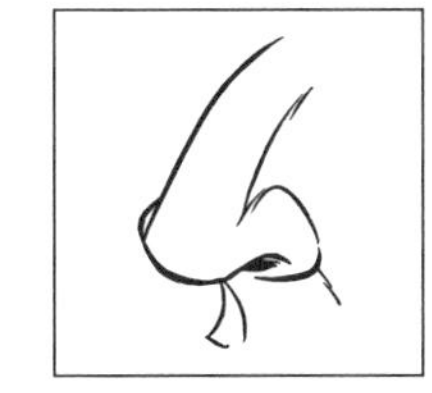

Activité 10 Gentil Secret

Objectifs

- Développer la voie d'adressage.
- Développer la compréhension du système alphabétique.
- Développer la correspondance des phonèmes/graphèmes.

Matériel

- Feuilles reproductibles 10.1 et 10.2, *Gentil Secret*
- Conte *Gentil Secret et la découverte des lettres* (voir cédérom)

Public cible : Maternelle (série 1) et premier cycle (série 2)

Préalables

- Activités portant sur les notions de base
- Activités précédentes portant sur le traitement phonologique
- Correspondance des phonèmes/graphèmes *simples* (a, i, o, m, l, r, s) acquise pour la série 1
- Correspondance des phonèmes/graphèmes *complexes* acquise pour la série 2

Déroulement de l'activité

- Commencez par la lecture du conte *Gentil Secret et la découverte des lettres.*
- Distribuez la feuille reproductible 10.1 (voir la page 50) à chacun des élèves de maternelle et la feuille reproductible 10.2 (voir la page 51) à chacun des élèves du premier cycle.
- Selon le niveau scolaire, reprenez au tableau l'exemple présenté sur les feuilles reproductibles.
- À l'aide de cet exemple, expliquez le déroulement de l'activité. Prononcez le son ([**i**] pour la série 1 et [**on**] pour la série 2), puis encerclez la ou les lettres correspondantes sur la feuille reproductible.
- Stimulez les élèves en leur disant : « Nous allons faire semblant d'être les habitants du village de *Gentil Secret.* Par cette activité, *Gentil Secret* vérifiera si tu as bien appris son code secret. »
- Poursuivez l'exercice de la même manière en utilisant les sons proposés (dix par série) sur les feuilles reproductibles.

Série 1

Exemple : Encercle la lettre qui fait le son [**i**].

1. Encercle la lettre *s*.
2. Encercle la lettre qui fait le son [**m**].
3. Encercle la lettre qui fait le son [**o**].
4. Encercle la lettre *r*.
5. Encercle la lettre qui fait le son [**l**].
6. Encercle la lettre *a*.
7. Encercle la lettre *l*.
8. Encercle la lettre qui fait le son [**r**].
9. Encercle la lettre *o*.
10. Encercle la lettre qui fait le son [**s**].

Série 2

Exemple : Encercle les lettres qui font le son [**on**].

11. Encercle les lettres qui font le son [**gu**].
12. Encercle les lettres qui font le son [**en**].
13. Encercle les lettres qui font le son [**ou**].
14. Encercle les lettres qui font le son [**gn**].
15. Encercle les lettres qui font le son [**il**].
16. Encercle les lettres qui font le son [**ss**].
17. Encercle les lettres qui font le son [**ien**].
18. Encercle les lettres qui font le son [**è**].
19. Encercle les lettres qui font le son [**oin**].
20. Encercle les lettres qui font le son [**in**].

Nom : ______________________ Date : ______________

Feuille reproductible 10.1 Gentil Secret – série 1

Exemple :

a  m l r

1. a s t r
2. i q o m
3. r u p o
4. m a r l
5. y v a l
6. d e a w
7. l f i s
8. s b r m
9. l o m e
10. r i z s

Nom : ______________________ Date : ______________

Feuille reproductible 10.2 Gentil Secret – série 2

Exemple :

uo  on no ou

11.	j	gn	gu	ge	g
12.	en	an	am	em	ien
13.	uo	on	no	ou	un
14.	jn	gn	gu	ne	ll
15.	ille	il	i	l	w
16.	ss	ç	s	c	z
17.	ien	ein	in	ain	oin
18.	é	è	ei	ai	ê
19.	in	ain	ein	ion	oin
20.	ei	in	ain	ein	aim

Activité 11 Drôles de petits mots

Objectifs

- Développer la voie d'assemblage.
- Développer le système alphabétique.
- Développer le traitement phonémique.
- Développer la mémoire de travail.

Matériel : Feuilles reproductibles 11.1 à 11.4, *Drôles de petits mots*

Public cible : Premier cycle

Préalables

- Activités portant sur les notions de base
- Activités précédentes portant sur le traitement phonologique
- Correspondance des phonèmes/graphèmes *a, o, i, u, r, l, m, s*

Déroulement de l'activité

- Distribuez la feuille reproductible 11.1 (voir la page 55) à chacun des élèves.
- Reprenez au tableau l'exemple présenté sur la feuille reproductible.
- Rappelez aux élèves que la présente activité ressemble étrangement à celle intitulée *À la recherche d'un son* (voir la page 39) mais que, dans ce cas-ci, ils travailleront avec des mots qui n'existent pas. À l'aide de l'exemple au tableau, donnez-leur les explications suivantes : « Je vais te dire un petit mot qui n'existe pas et où la syllabe qui le compose est représentée par un grand cercle et chaque son par un petit cercle. Lorsque je prononcerai le mot, regarde bien mon doigt ; il se déplacera d'un petit cercle à l'autre chaque fois que je prononcerai un son nouveau. Si le mot n'a qu'une syllabe et deux sons, il n'y aura qu'un grand cercle et mon doigt sera sur le premier des petits cercles lorsque je prononcerai le premier son et sur le second lorsque je prononcerai le deuxième son du mot. »
- Invitez un ou deux élèves à venir reprendre le processus de segmentation des mots.
- Avec la classe, poursuivez l'exercice de la même manière en utilisant les mots proposés sur la feuille reproductible 11.1. Donnez aux élèves les consignes suivantes : « Écoute attentivement et regarde mon doigt se déplacer. Dans les petits cercles, écris une à une, et dans l'ordre, les lettres qui représentent les sons des drôles de mots. »
- Pour chacun des mots analysés, faites une démonstration de la démarche à suivre pour obtenir la bonne réponse en faisant déplacer votre doigt à deux reprises sur les composantes sonores du mot.

Série 1

Exemple : *u-s, u-s, u-s* (faites la démonstration à deux reprises)

1. a-l, a-l, a-l
2. i-s, i-s, i-s
3. m-u, m-u, m-u
4. l-o, l-o, l-o
5. u-r, u-r, u-r
6. r-o, r-o, r-o
7. s-u, s-u, s-u
8. i-m, i-m, i-m
9. s-a, s-a, s-a
10. o-m, o-m, o-m

- Après que les élèves auront terminé la série 1, demandez à chacun d'eux d'évoquer chacun des sons des lettres étudiées et de faire la lecture des drôles de mots composés.
- Une fois que le taux de réussite sera satisfaisant pour cette première partie de l'activité, distribuez les feuilles reproductibles 11.2 à 11.4 (voir les pages 56 à 58) et reprenez les mêmes étapes que celles décrites précédemment en adaptant le texte d'introduction aux élèves comme suit : « Je vais te dire un petit mot qui n'existe pas et où les syllabes qui le composent (1 ou 2 pour la série 2 ; 2 pour la série 3 ; 3 pour la série 4) sont représentées par un grand cercle et chaque son par un petit cercle. Lorsque je prononcerai le mot, regarde bien mon doigt ; il se déplacera d'un petit cercle à l'autre chaque fois que je prononcerai un son nouveau, et d'un grand cercle à l'autre chaque fois que je prononcerai une nouvelle syllabe. Si le mot n'a qu'une syllabe et deux sons, il n'y aura qu'un grand cercle et mon doigt sera sur le premier des petits cercles lorsque je prononcerai le premier son et sur le second lorsque je prononcerai le deuxième son du mot. »

Série 2

Exemples :

a) *i-m-a, i-m-a, i-m-a*
b) *r-u-l, r-u-l, r-u-l*

11. a-m-o, a-m-o, a-m-o
12. i-l-a, i-l-a, i-l-a
13. m-u-l, m-u-l, m-u-l
14. l-u-r, l-u-r, l-u-r
15. u-r-o, u-r-o, u-r-o
16. r-o-l, r-o-l, r-o-l
17. s-i-r, s-i-r, s-i-r
18. i-m-u, i-m-u, i-m-u
19. s-a-r, s-a-r, s-a-r
20. o-m-i, o-m-i, o-m-i

Série 3

Exemples :

a) *i-m-a-r, i-m-a-r, i-m-a-r*
b) *r-u-l-a, r-u-l-a, r-u-l-a*

21. a-m-i-r, a-m-i-r, a-m-i-r
22. m-i-l-a, m-i-l-a, m-i-l-a
23. m-u-l-i, m-u-l-i, m-u-l-i
24. l-u-r-o, l-u-r-o, l-u-r-o
25. o-r-u-l, o-r-u-l, o-r-u-l
26. r-o-l-a, r-o-l-a, r-o-l-a
27. s-i-r-u, s-i-r-u, s-i-r-u
28. i-m-u-r, i-m-u-r, i-m-u-r
29. s-a-r-i, s-a-r-i, s-a-r-i
30. o-m-i-l, o-m-i-l, o-m-i-l

Série 4

Exemple : *m-a-l-i-r-o, m-a-l-i-r-o, m-a-l-i-r-o*

31. r-a-m-i-r-o, r-a-m-i-r-o, r-a-m-i-r-o
32. s-u-m-i-l-a, s-u-m-i-l-a, s-u-m-i-l-a
33. m-u-l-i-r-a, m-u-l-i-r-a, m-u-l-i-r-a
34. l-u-r-o-m-a, l-u-r-o-m-a, l-u-r-o-m-a
35. s-o-r-u-l-i, s-o-r-u-l-i, s-o-r-u-l-i
36. r-o-l-a-m-i, r-o-l-a-m-i, r-o-l-a-m-i
37. s-i-m-a-r-u, s-i-m-a-r-u, s-i-m-a-r-u
38. l-i-m-u-r-o, l-i-m-u-r-o, l-i-m-u-r-o
39. s-a-r-i-m-o, s-a-r-i-m-o, s-a-r-i-m-o
40. m-o-l-i-r-u, m-o-l-i-r-u, m-o-l-i-r-u

Remarques

- Étirez la prononciation de chaque son qui compose le mot sans toutefois segmenter franchement le mot en sons.
- L'emploi de pseudo-mots assure l'utilisation exclusive de la procédure d'assemblage en lecture et en orthographe.

Nom : ______________________________ Date : ________________

Feuille reproductible 11.1 Drôles de petits mots – série 1

Exemple :

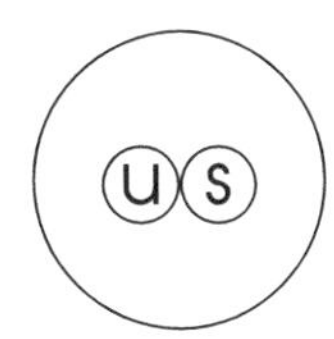

1.

6.
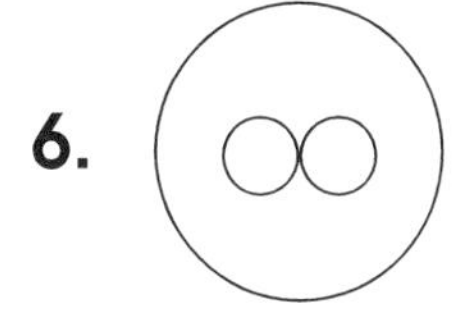

2.

7.
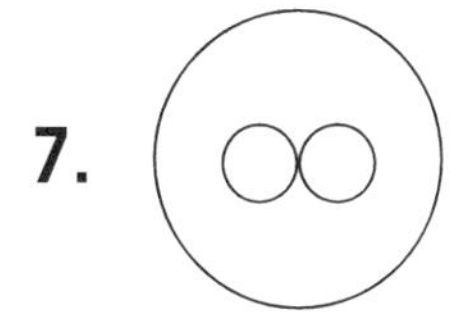

3.

8.
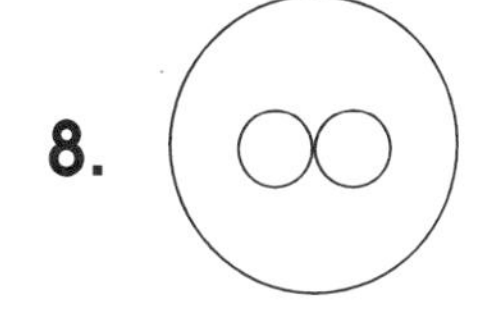

4.

9.
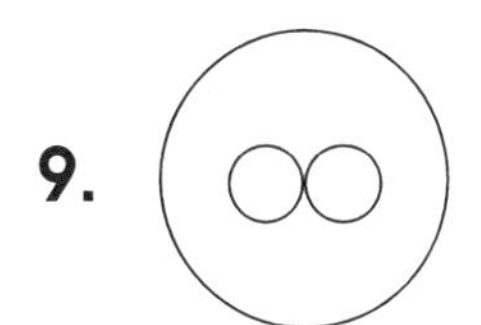

5.

10.
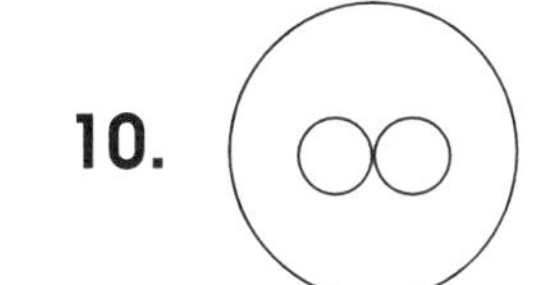

Nom : ______________________________ Date : ______________

Feuille reproductible 11.2 Drôles de petits mots – série 2

Exemples :

a) 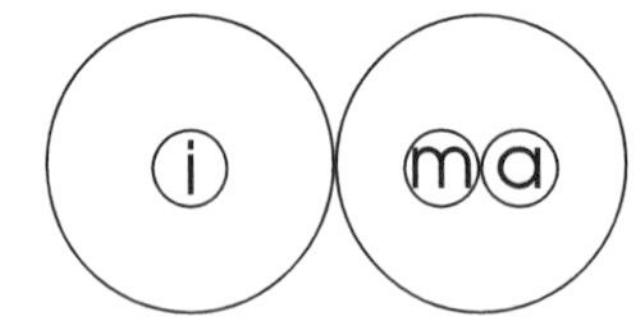

b) 

11. 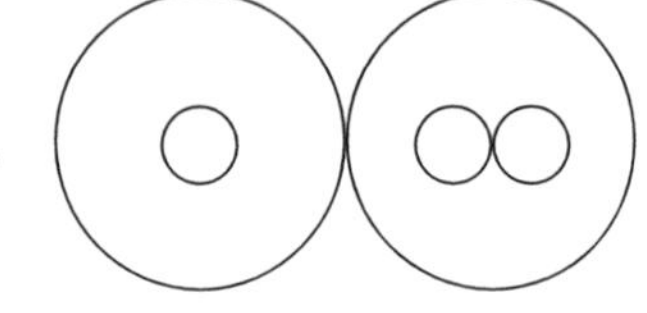

12. 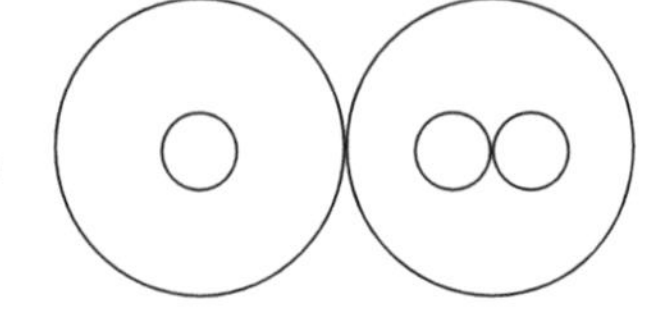

13. 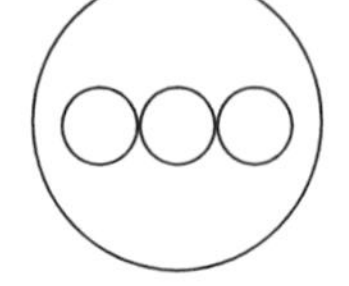

14. 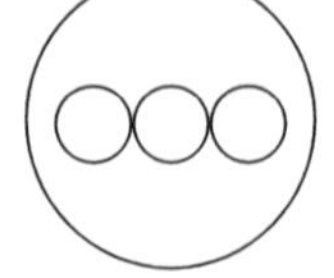

15. 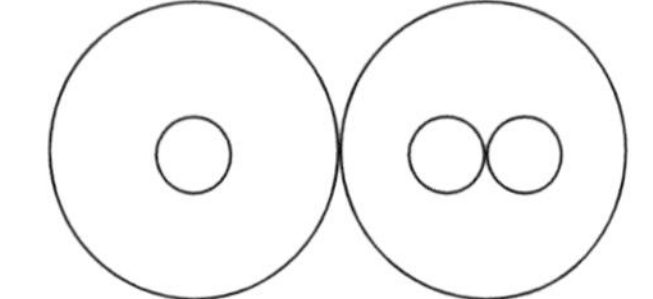

16. 

17. 

18. 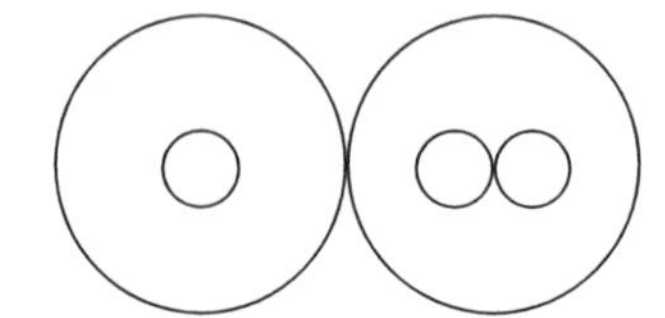

19. 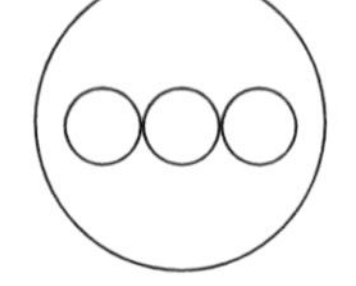

20. 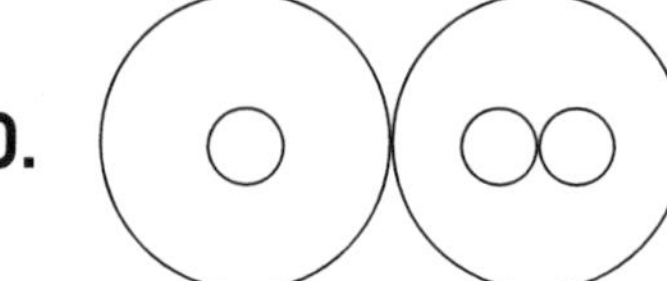

Nom : ______________________ Date : ______________

Feuille reproductible 11.3 Drôles de petits mots – série 3

Exemples :

a) 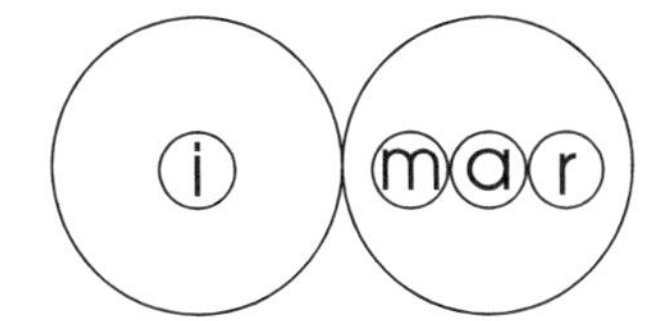

b) 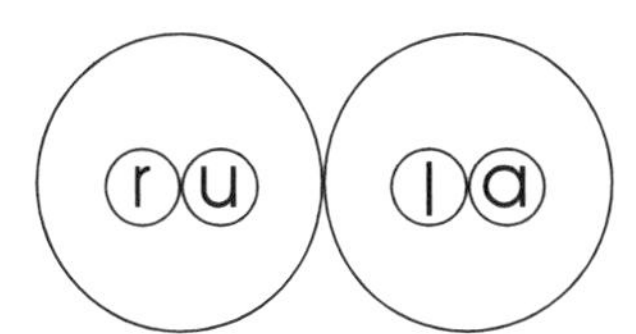

21. 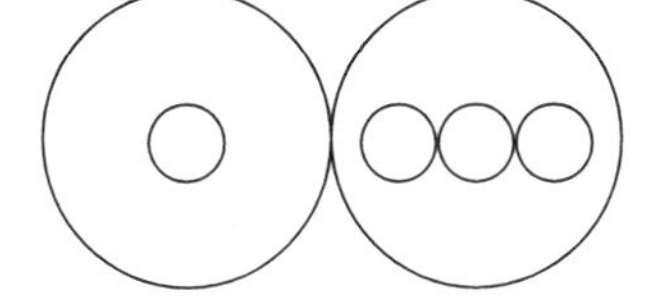

26. 

22. 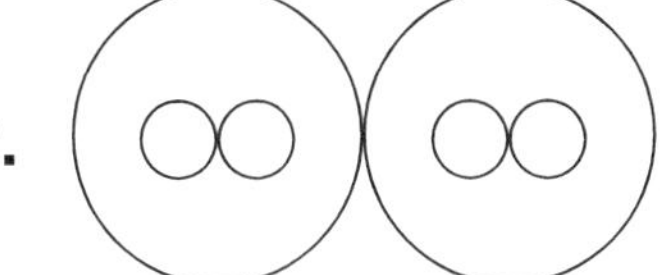

27. 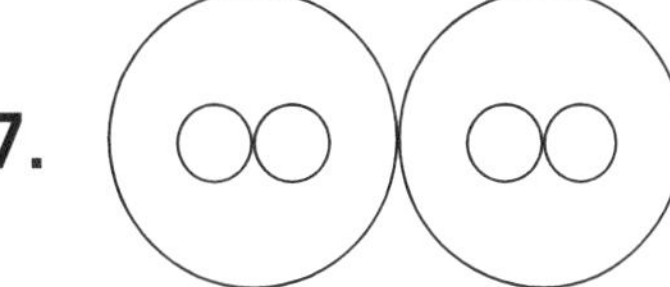

23. 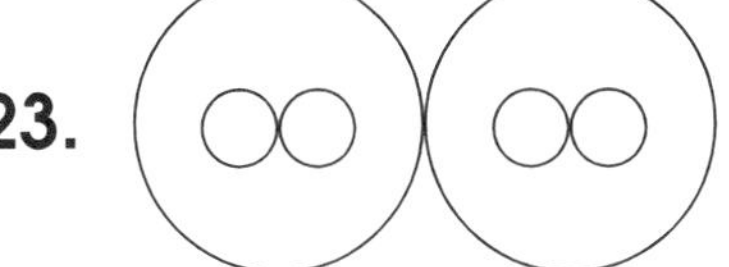

28. 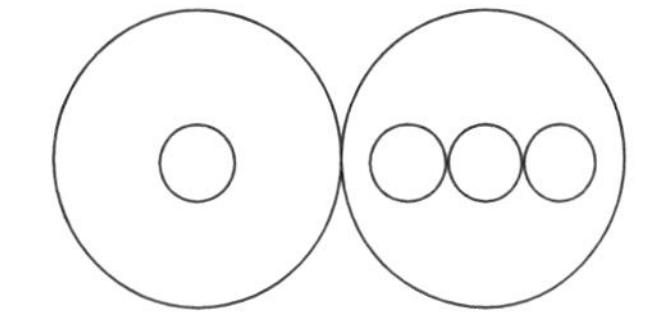

24. 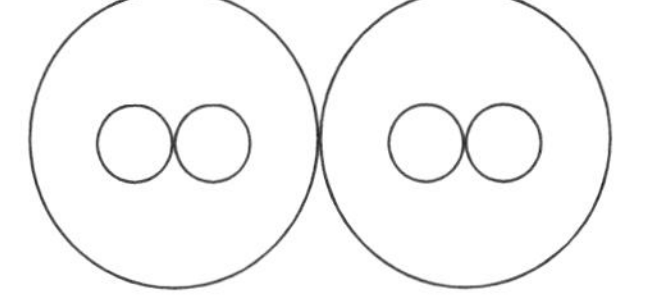

29. 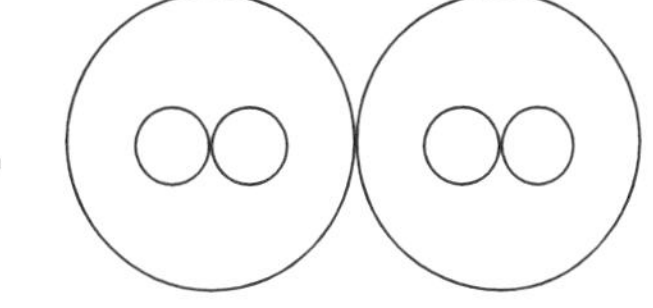

25. 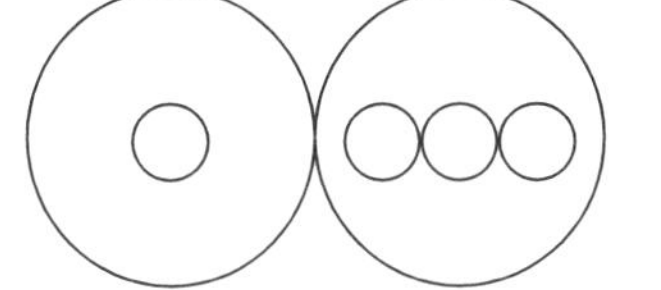

30. 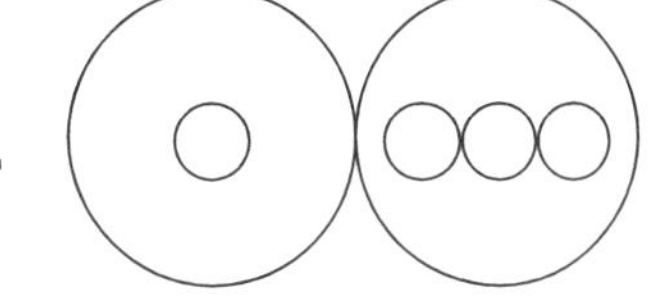

Nom : ______________________ Date : ______________

Feuille reproductible 11.4 Drôles de petits mots – série 4

Exemples :

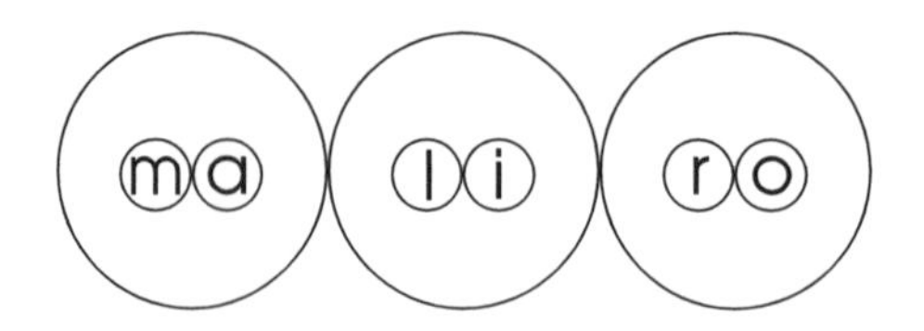

31.

36.

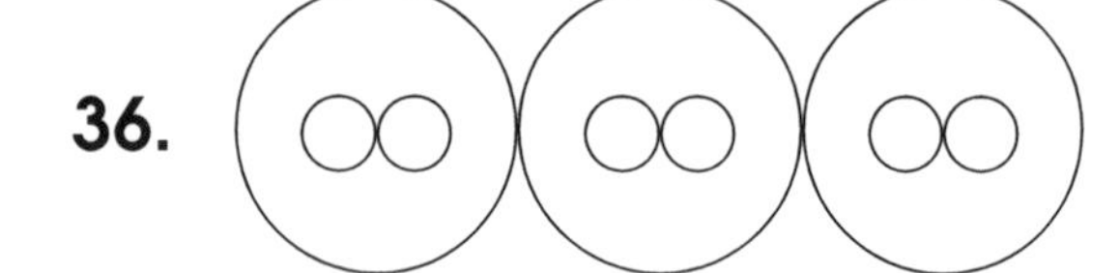

32.

37.

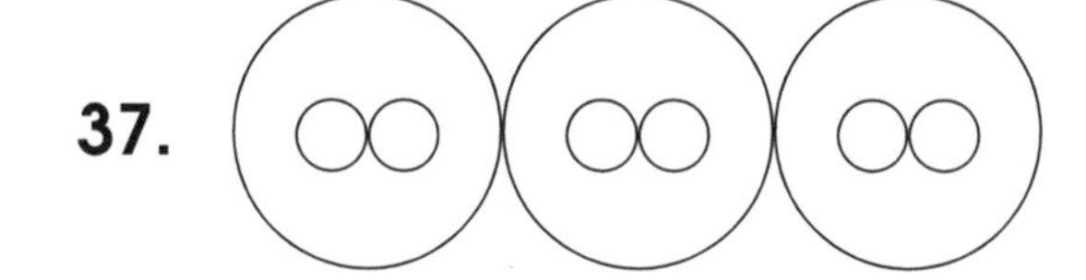

33.

38.

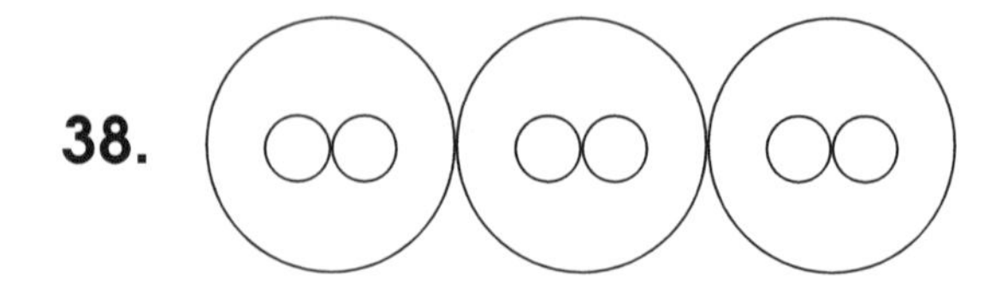

34.

39.

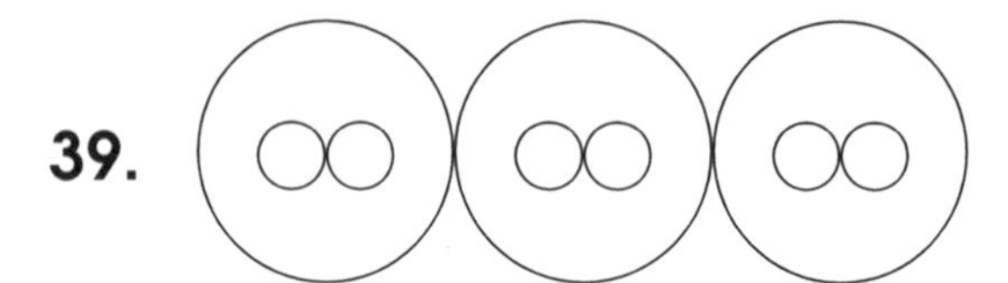

35.

40.

Activité 12 Les sons des mots

Objectifs

- Développer la voie d'assemblage.
- Développer le traitement phonologique.
- Développer la mémoire de travail.

Matériel

- 14 planches de mots illustrés à reproduire (feuilles reproductibles 12.1 à 12.7)
- 2 planches de mots illustrés de deux phonèmes composés d'une fricative
- 2 planches de mots illustrés de deux phonèmes composés d'une occlusive
- 2 planches de mots de trois phonèmes composés de fricatives
- 2 planches de mots de trois phonèmes composés d'une occlusive
- 2 planches de mots de quatre phonèmes composés de fricatives
- 2 planches de mots illustrés de quatre phonèmes composés d'une occlusive
- 2 planches de mots complexes illustrés
- 1 dé

Public cible : Premier cycle

Préalables

- Activités portant sur les notions de base
- Activités précédentes portant sur le traitement phonologique
- Correspondance des phonèmes/graphèmes *a, o, i, u, r, l, m, s*

Déroulement de l'activité

- Commencez l'activité par la série 1 (voir la page 61).
- Reproduisez trois fois les deux planches de la série 1 et découpez chaque planche.
- Reproduisez de nouveau trois fois les deux planches de la série 1 et découpez-en les images afin de constituer la pioche.
- Divisez la classe en six équipes.
- Identifiez chaque équipe par un numéro de 1 à 6.
- Distribuez à chaque équipe une planche de jeu.
- Lancez le dé afin de déterminer quelle équipe commencera la partie.
- Tirez une première carte de la pioche ; nommez l'image. Un volontaire de l'équipe au jeu devra segmenter en sons le mot de l'image piochée. Par exemple, si l'équipe 1 a la main et que la carte tirée représente un lit, un de ses joueurs devra dire : « *l, i.* » Si la segmentation est correcte, l'équipe 1 gagne cette carte et la pose sur l'image de sa planche représentant un lit.
- Si la segmentation est erronée, relancez le dé afin de sélectionner une autre équipe qui devra chercher la bonne réponse.
- Une fois qu'une carte est gagnée par une équipe, relancez le dé pour déterminer l'équipe qui aura la main et tirez une nouvelle carte.

- Poursuivez le jeu jusqu'au moment où une des équipes aura complété sa planche de jeu.

Remarques

- Commencez l'activité par la série 1 (voir la feuille reproductible 12.1, à la page 61). Lorsque les enfants auront maîtrisé la segmentation des mots de deux phonèmes contenant une fricative (série 1), poursuivez avec les mots de trois phonèmes composés d'une fricative (série 3 – voir la feuille reproductible 12.3, à la page 63), puis avec ceux comprenant une occlusive (séries 2 et 4 – voir les feuilles reproductibles 12.2 et 12.4, aux pages 62 et 64). Faites de même pour les mots de quatre phonèmes (séries 5 et 6 – voir les feuilles reproductibles 12.5 et 12.6, aux pages 65 et 66). Passez par la suite aux mots complexes (série 7 – voir la feuille reproductible 12.7, à la page 67).
- Il est important que les enfants segmentent chaque mot en évoquant les sons et non le nom des lettres.

Série 1: Liste des mots illustrés de deux phonèmes composés d'une fricative

Planche 1: roue, ange, fée, scie, œuf, ailes

Planche 2: chat, main, nez, os, as, œuf

Série 2: Liste des mots illustrés de deux phonèmes composés d'une occlusive

Planche 1: pont, cou, bain, toit, dé, pot

Planche 2: pain, banc, dent, pot, gants, pas

Série 3: Liste des mots illustrés de trois phonèmes composés de fricatives

Planche 1: sel, laine, four, lune, mouche, verre

Planche 2: reine, vache, lune, rose, roche, neige

Série 4: Liste des mots illustrés de trois phonèmes composés d'une occlusive

Planche 1: tasse, bouche, canne, épée, soupe, lampe

Planche 2: balle, cage, poule, robe, phoque, hibou

Série 5: Liste des mots illustrés de quatre phonèmes composés de fricatives

Planche 1: hiver, raisins, souris, maman, fusée, genou

Planche 2: chameau, fusil, savon, orange, maison, image

Série 6: Liste des mots illustrés de quatre phonèmes composés d'une occlusive

Planche 1: cochon, mouton, requin, sapin, château, divan

Planche 2: robot, ballon, pinceau, dauphin, tapis, gâteau

Série 7: Liste des mots complexes illustrés

Planche 1: clé, train, bras, arc, ongle, ours

Planche 2: igloo, flûte, tortue, brosse, clown, barbe

Nom : ______________________ Date : ______________

Feuille reproductible 12.1 Les sons des mots – série 1

Liste des mots illustrés de deux phonèmes composés d'une fricative

a) Reproduire chaque planche six fois.

b) Découper trois planches à distribuer aux équipes.

c) Découper trois autres planches et chacune de leurs images pour constituer la pioche.

Planche 1

Planche 2

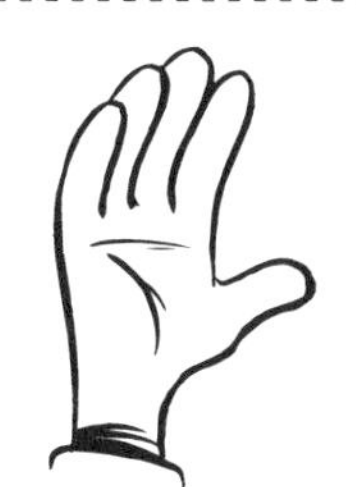
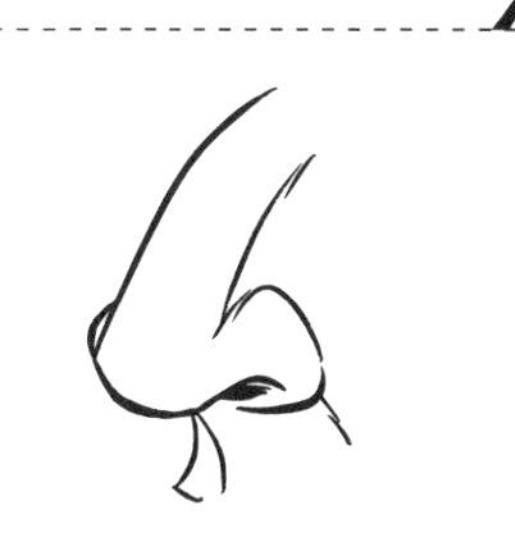
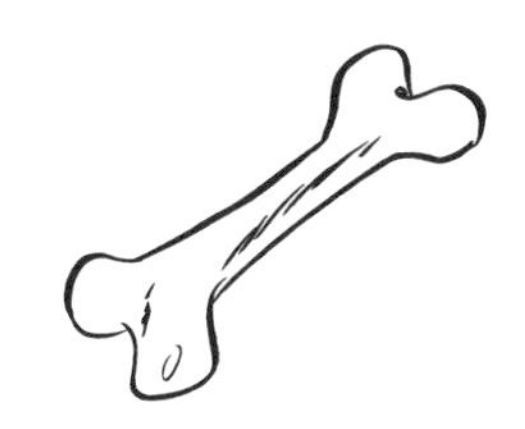

Nom : ______________________ Date : ______________

Feuille reproductible 12.2 Les sons des mots – série 2

Liste des mots illustrés de deux phonèmes composés d'une occlusive

a) Reproduire chaque planche six fois.

b) Découper trois planches à distribuer aux équipes.

c) Découper trois autres planches et chacune de leurs images pour constituer la pioche.

Planche 1

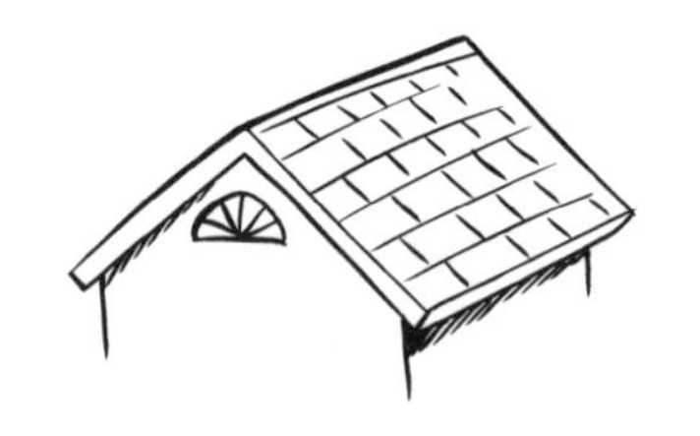

Planche 2

Nom : ______________________ Date : ______________

Feuille reproductible 12.3 Les sons des mots – série 3

Liste des mots illustrés de trois phonèmes composés de fricatives

a) Reproduire chaque planche six fois.

b) Découper trois planches à distribuer aux équipes.

c) Découper trois autres planches et chacune de leurs images pour constituer la pioche.

Planche 1

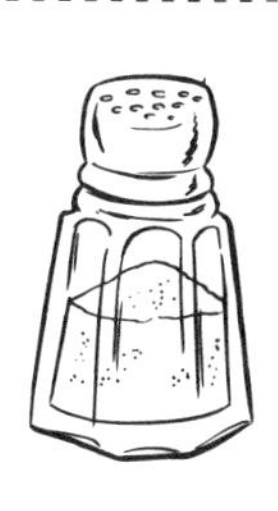

Planche 2

Nom : ______________________ Date : ______________

Feuille reproductible 12.4 Les sons des mots – série 4

Liste des mots illustrés de trois phonèmes composés d'une occlusive

a) Reproduire chaque planche six fois.

b) Découper trois planches à distribuer aux équipes.

c) Découper trois autres planches et chacune de leurs images pour constituer la pioche.

Planche 1

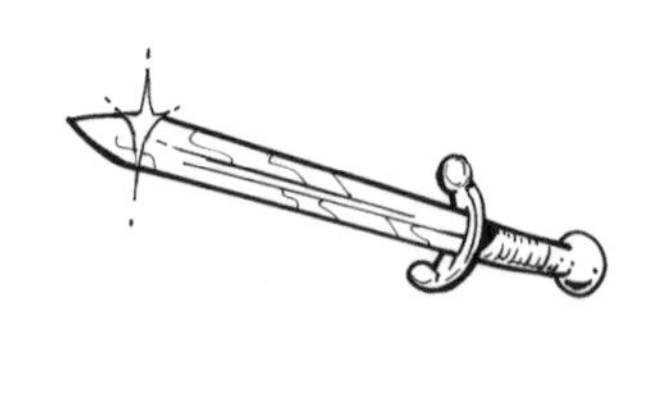

Planche 2

Nom : ______________________________ Date : ________________

Feuille reproductible 12.5 Les sons des mots – série 5

Liste des mots illustrés de quatre phonèmes composés de fricatives

a) Reproduire chaque planche six fois.

b) Découper trois planches à distribuer aux équipes.

c) Découper trois autres planches et chacune de leurs images pour constituer la pioche.

Planche 1

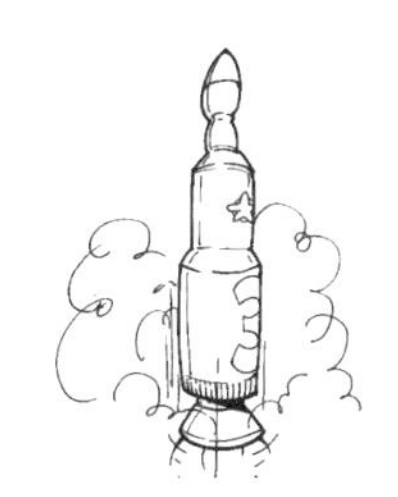

Planche 2

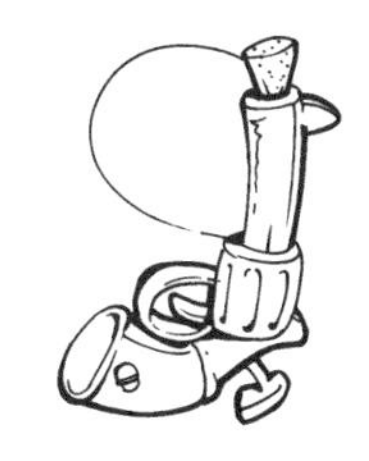

Nom : ______________________ Date : ______________

Feuille reproductible 12.6 Les sons des mots – série 6

Liste des mots illustrés de quatre phonèmes composés d'une occlusive

a) Reproduire chaque planche six fois.

b) Découper trois planches à distribuer aux équipes.

c) Découper trois autres planches et chacune de leurs images pour constituer la pioche.

Planche 1

Planche 2

Nom : ________________________ Date : ______________

Feuille reproductible 12.7 Les sons des mots – série 7

Liste des mots complexes illustrés

a) Reproduire chaque planche six fois.

b) Découper trois planches à distribuer aux équipes.

c) Découper trois autres planches et chacune de leurs images pour constituer la pioche.

Planche 1

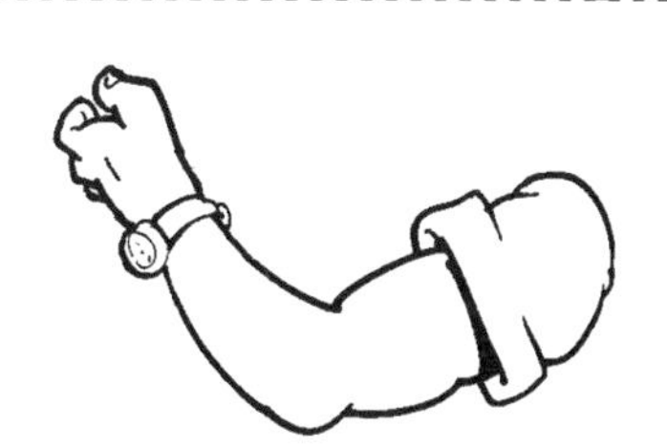
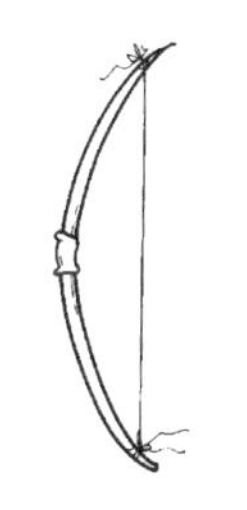
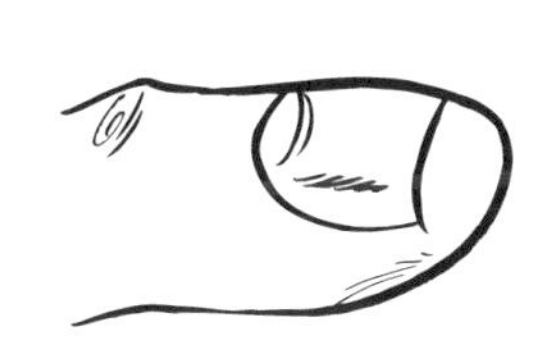

Planche 2

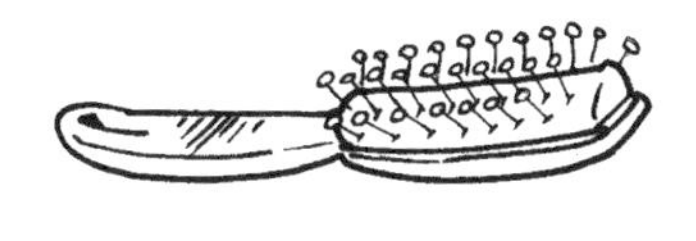

Activité 13 Les demi-lunes

Objectifs

- Développer la voie d'assemblage.
- Développer le traitement syllabique en lecture.

Matériel : Feuilles reproductibles 13.1 à 13.3, *Les demi-lunes*

Public cible : Premier cycle

Préalables

- Activités précédentes portant sur le traitement phonologique
- Lecture de syllabes acquises

Déroulement de l'activité

- Distribuez les feuilles reproductibles 13.1 à 13.3 (voir les pages 70 à 72) à chacun des élèves.
- Reprenez au tableau un des exemples présentés sur les feuilles reproductibles.
- À l'aide de cet exemple, donnez les explications suivantes tout en faisant la démonstration au tableau : « Pour lire les mots que tu ne connais pas, tu dois les découper en syllabes, c'est-à-dire que tu dois lire le mot syllabe par syllabe. Cependant, ce n'est pas toujours facile de découper les mots au bon endroit. Pour t'aider, nous allons lire ensemble quelques mots déjà découpés à l'aide de demi-lunes. Puis à ton tour, comme dans l'exemple, tu devras tracer des demi-lunes pour découper des mots au bon endroit. »

Série 1

Exemples : lavabo, image, tomate, patate

1. tomate, domino, pirate, tulipe
2. boa, salade, amical, animal
3. île, pilote, locomotive, duo
4. farine, orage, amical, nuage
5. cacao, pilule, canif, vipère

Série 2

Exemples : articule, virgule, ordure, déborde

6. anormal, larve, arbuste, culbute
7. porche, larme, barque, armure
8. bordure, écorchure, tordu, fermeture
9. garniture, artiste, aspire, observe
10. barbiche, costume, discute, bascule
11. domino, anormal, safari, minuscule
12. pilotage, armure, parachute, numérote
13. timide, culture, bêtise, cascade
14. farine, marine, pyramide, tournesol
15. capture, canari, olive, ordure

Série 3

Exemples : églis̮e, ap̮lati, friture, abruti

16. flâne, reproche, plumage, bricolage
17. spirale, acrobate, microbe, brûlure
18. colibri, clôture, renifle, grenadine
19. profite, spatule, oblige, Afrique
20. crémage, abrite, capable, métro
21. jardinage, lavage, propre, trafic
22. traverse, dévore, disparu, éclate
23. épine, étable, fiable, formidable
24. gravure, habile, lisible, matinale
25. navire, partage, repartir, surface

Nom : ______________________ Date : ______________

Feuille reproductible 13.1 Les demi-lunes – série 1

Exemples :

lavabo image tomate patate

1. tomate domino pirate tulipe

2. boa salade amical animal

3. île pilote locomotive duo

4. farine orage amical nuage

5. cacao pilule canif vipère

Nom : ______________________ Date : ____________

Feuille reproductible 13.2 Les demi-lunes – série 2

Exemples :

articule virgule ordure déborde

6. anormal larve arbuste culbute
7. porche larme barque armure
8. bordure écorchure tordu fermeture
9. garniture artiste aspire observe
10. barbiche costume discute bascule
11. domino anormal safari minuscule
12. pilotage armure parachute numérote
13. timide culture bêtise cascade
14. farine marine pyramide tournesol
15. capture canari olive ordure

Nom : ______________________ Date : ______________

Feuille reproductible 13.3 Les demi-lunes – série 3

Exemples :

église aplati friture abruti

16. flâne reproche plumage bricolage
17. spirale acrobate microbe brûlure
18. colibri clôture renifle grenadine
19. profite spatule oblige Afrique
20. crémage abrite capable métro
21. jardinage lavage propre trafic
22. traverse dévore disparu éclate
23. épine étable fiable formidable
24. gravure habile lisible matinale
25. navire partage repartir surface

Activité 14 Les mots invisibles

Objectifs

- Développer la voie d'adressage.
- Développer la création d'images visuelles.
- Développer la mémoire de travail visuelle.

Matériel : Feuilles reproductibles 14.1 et 14.2, *Les mots invisibles*

Public cible : Premier cycle

Préalable

- Activités portant sur les notions de base
- Série 1 : correspondance des phonèmes et des graphèmes simples
- Série 2 : correspondance des phonèmes et des graphèmes complexes

Déroulement de l'activité

- Distribuez les feuilles reproductibles 14.1 et 14.2 (voir les pages 74 à 77) à chacun des élèves.
- Reprenez au tableau un des exemples présentés sur les feuilles reproductibles.
- À l'aide de cet exemple, donnez les explications suivantes tout en faisant la démonstration au tableau : « Je vais épeler un mot. Tu devras bien retenir toutes les lettres de celui-ci dans l'ordre où elles auront été épelées. Pour ce faire, tu écriras le mot dans ta tête. Une fois que ce sera fait, tu devras bien le regarder afin d'être en mesure de le lire. Ensuite, tu encercleras l'image qui correspond à ce mot sur les feuilles reproductibles qui t'ont été remises. Attention, il y a des intrus ! »

Série 1

Exemple : l a c

1. o s
2. d é
3. b o l
4. s a c
5. m i d i
6. m a r i
7. l u n e
8. c a n e
9. c a g e
10. r o b e

Série 2

Exemple : d a m e

11. c u b e
12. p a t t e
13. s o u
14. c o u
15. p o u
16. f e u
17. r o i
18. p o u l e
19. f i l l e

Nom : ______________________________ Date : ______________

Feuille reproductible 14.1 Les mots invisibles – série 1

Exemple :

1.

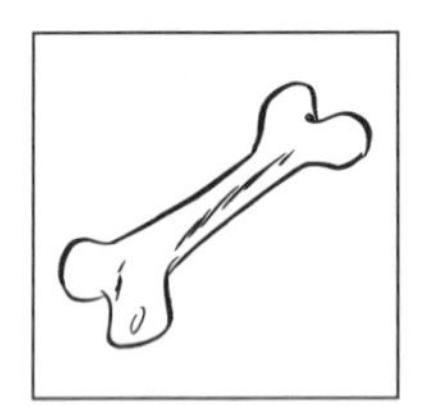

2.

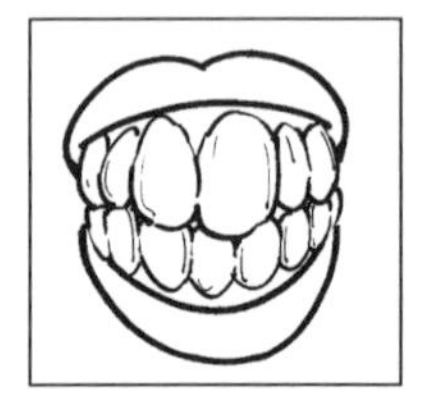

3.

4.

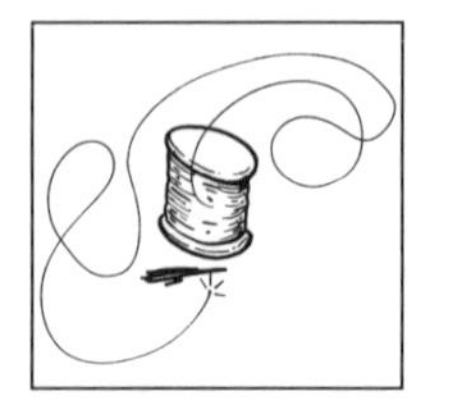

5.

Nom : ________________________ Date : ____________

Feuille reproductible 14.1 Les mots invisibles – série 1 (suite)

6.    

7.    

8.  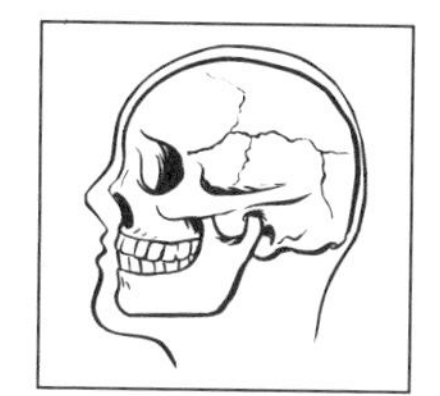  

9.    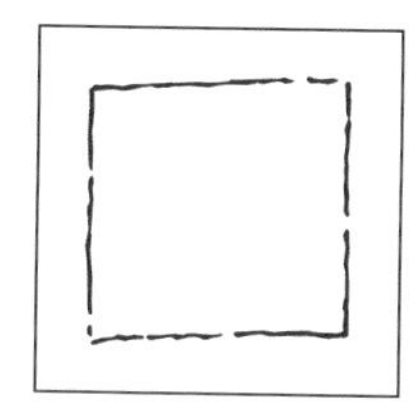

10.    

Nom : ______________________ Date : ______________

Feuille reproductible 14.2 Les mots invisibles – série 2

Exemple :

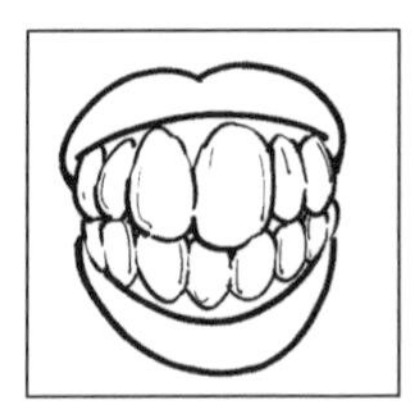

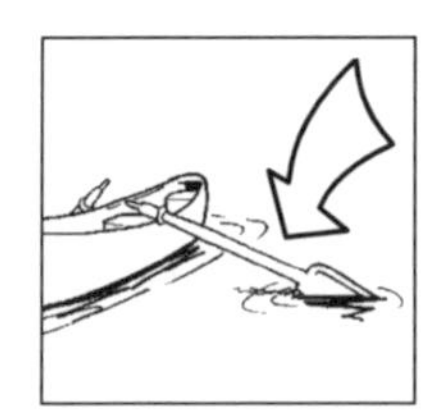

11.

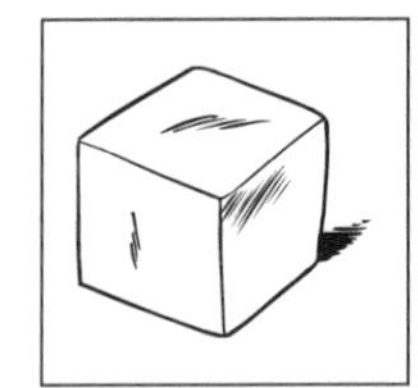

12.

13.

14.

15.

Nom : ______________________ Date : ______________

Feuille reproductible 14.2 Les mots invisibles – série 2 (suite)

16.

17.

18.

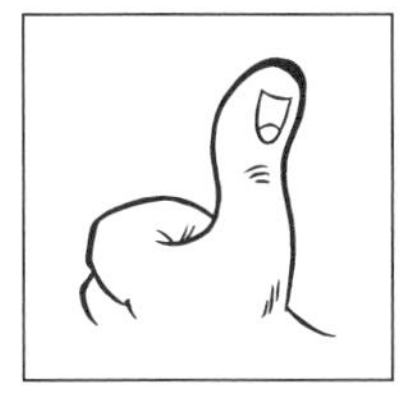   

19.

 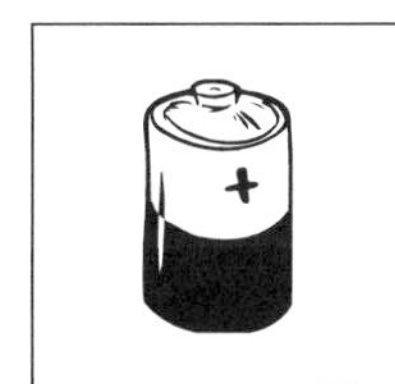 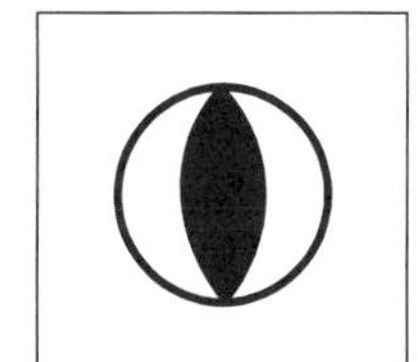 

Activité 15 Attention!

Objectifs

- Développer la lecture par voie d'adressage.
- Développer l'attention visuelle.
- Améliorer la compréhension verbale.

Matériel: Feuilles reproductibles 15.1 à 15.3, *Attention!*

Public cible: Maternelle et premier cycle

Préalable: Aucun

Déroulement de l'activité

- Distribuez les feuilles reproductibles 15.1 à 15.3 (voir les pages 80 à 84) à chacun des élèves.
- Reprenez au tableau la première série de phrases qui apparaissent dans l'exemple de la feuille reproductible 15.1.
- À l'aide de cet exemple, donnez l'explication suivante: « Tu devras lire une première série de phrases. Fais attention, car les phrases se ressemblent beaucoup. À chacune des lignes d'une série, il y a une lettre ou un petit mot qui a été changé. Par la suite, en utilisant ta feuille reproductible, tu devras relier à l'aide d'un trait chaque phrase d'une série à l'image qui lui correspond. »
- Poursuivez l'exercice de la même manière en utilisant les phrases proposées (séries 1 à 5) sur les feuilles reproductibles.

Exemple:

1. C'est un lapin.
2. C'est une lapine.
3. C'est son lapin.
4. C'est un sapin.

Série 1

5. C'est un chien.
6. C'est une chienne.
7. C'est la sienne.
8. C'est le sien.

Série 2

9. Il y a un enfant.
10. Il y a une enfant.
11. Il n'y a pas d'enfants.
12. Il n'y a que des enfants.

Série 3

13. Il y a un chien et des enfants.
14. Il y a des chiens et une enfant.
15. Il y a des chiens et des enfants.
16. Il y a des chiennes et des enfants.

Série 4

17. J'ai une maison.
18. J'ai des maisons.
19. J'ai deux maisons.
20. Je n'ai pas de maison.

Série 5

21. Est-ce que c'est une fille ?
22. Est-ce que c'est une bille ?
23. Est-ce que c'est une balle ?
24. Est-ce que c'est une malle ?

Remarque : Si vous lisez les phrases vous-même, vous pouvez faire cette activité avec les enfants de la maternelle.

Nom : ______________________ Date : ______________

Feuille reproductible 15.1 Attention ! – série 1

Exemple :

C'est un lapin. C'est une lapine. C'est son lapin. C'est un sapin.

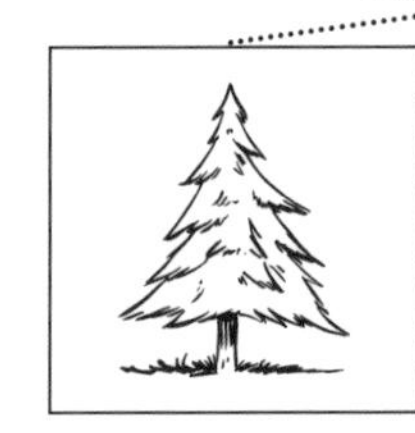

C'est un chien.

C'est une chienne.

C'est la sienne.

C'est le sien.

Nom : ______________________________ Date : ____________________

Feuille reproductible 15.1 Attention ! – série 2

Il y a un enfant.

Il y a une enfant.

Il n'y a pas d'enfants.

Il n'y a que des enfants.

Nom : ______________________ Date : ______________

Feuille reproductible 15.2 Attention ! – série 3

Il y a un chien et des enfants.

Il y a des chiens et une enfant.

Il y a des chiens et des enfants.

Il y a des chiennes et des enfants.

Nom : ______________________________ Date : ________________

Feuille reproductible 15.2 Attention ! – série 4

J'ai une maison.

J'ai des maisons.

J'ai deux maisons.

Je n'ai pas de maison.

Nom : ______________________ Date : ______________

Feuille reproductible 15.3 Attention ! – série 5

Est-ce que c'est une fille ?

Est-ce que c'est une bille ?

Est-ce que c'est une balle ?

Est-ce que c'est une malle ?

Activité 16 Le record

Objectifs

- Développer la lecture par voie d'adressage.
- Développer l'attention visuelle.

Matériel : Feuilles reproductibles 16.1 à 16.5, *Le record*

Public cible : Premier cycle

Préalable : Avoir complété l'activité *Attention!* (voir la page 78)

Déroulement de l'activité

- Distribuez les feuilles reproductibles 16.1 à 16.5 (voir les pages 87 à 91) à chacun des élèves.
- Écrivez au tableau une structure de phrase que vous aimeriez que les enfants connaissent.
- À l'aide de cet exemple, donnez l'explication suivante : « Nous allons lire ensemble et à haute voix les phrases qui sont écrites au tableau. Ensuite, je demanderai à un volontaire de les lire le plus rapidement possible, mais en faisant attention de ne pas commettre d'erreurs. Je calculerai le temps de lecture et le nombre d'erreurs commises. Ensuite, je vais demander à un autre volontaire de la classe d'essayer de battre le record. Nous allons tenter d'établir LE record de lecture pour cette série de phrases. »

Série 1

1. C'est un lapin.
2. C'est une lapine.
3. C'est un sapin.
4. C'est le sapin.
5. C'est ton sapin.

6. C'est le chien.
7. C'est la chienne.
8. C'est ta chienne.
9. C'est sa chienne.
10. C'est la tienne.

11. Il y a un enfant.
12. Il y a une enfant.
13. Il y a des enfants.
14. Il n'y a pas d'enfants.
15. Il n'y a que des enfants.

Série 2

16. Il y a un chien et des enfants.
17. Il y a un chien et les enfants.
18. Il y a une chienne et des enfants.
19. Il y a une chienne et les enfants.
20. Il y a un chien et un enfant.

21. J'ai une maison.
22. J'ai des maisons.
23. J'ai deux maisons.
24. Je n'ai pas de maison.
25. Je n'ai pas raison.

26. Il le mange.
27. Il les mange.
28. Ils les mangent.
29. Il les range.
30. Il le range.

Série 3

31. On en prend.
32. On n'en prend pas.
33. On n'en prend plus.
34. On en prend plus.
35. On en prend trop.

36. Elle en donne.
37. Elle lui donne.
38. Elle lui en donne.
39. Elle la lui donne.
40. Elle les lui donne.

41. Il n'a pas mangé.
42. Il n'a plus mangé.
43. Il n'a rien mangé.
44. Il n'a rien rangé.
45. Il ne l'a pas rangé.

Série 4

46. Est-ce que tu vas bien ?
47. Est-ce que tu vois bien ?
48. Est-ce que tu la vois ?
49. Est-ce que tu l'as vu ?
50. Est-ce que tu l'as bien vu ?

51. Qu'est-ce qu'il mange ?
52. Qu'est-ce qu'il range ?
53. Qu'est-ce qu'elle mange ?
54. Qu'est-ce qu'elle change ?
55. Qu'est-ce que ça change ?

56. Qui est-ce qui parle ?
57. Qui est-ce qui en parle ?
58. Qui est-ce qui lui parle ?
59. Qui est-ce qui part ?
60. Qui est-ce qui leur parle ?

Série 5

61. Comment t'appelles-tu ?
62. Comment l'appelles-tu ?
63. Comment s'appelle-t-il ?
64. Comment s'appellent-ils ?
65. Comment l'apprend-il ?

66. Est-ce que c'est une fille ?
67. Est-ce que c'est une bille ?
68. Est-ce que c'est une balle ?
69. Est-ce que c'est une salle ?
70. Est-ce que c'est une malle ?

Remarque : Si des élèves présentent des difficultés, donnez-leur, quelques jours avant de faire l'activité, une série de phrases à lire à la maison. Ainsi, ils pourront se préparer à l'activité. En classe, interrogez-les uniquement sur la série de phrases qu'ils auront préparée.

Nom : ______________________ Date : ______________

Feuille reproductible 16.1 Le record – série 1

1. C'est un lapin.
2. C'est une lapine.
3. C'est un sapin.
4. C'est le sapin.
5. C'est ton sapin.

6. C'est le chien.
7. C'est la chienne.
8. C'est ta chienne.
9. C'est sa chienne.
10. C'est la tienne.

11. Il y a un enfant.
12. Il y a une enfant.
13. Il y a des enfants.
14. Il n'y a pas d'enfants.
15. Il n'y a que des enfants.

Nom : ______________________ Date : ______________

Feuille reproductible 16.2 Le record – série 2

16. Il y a un chien et des enfants.
17. Il y a un chien et les enfants.
18. Il y a une chienne et des enfants.
19. Il y a une chienne et les enfants.
20. Il y a un chien et un enfant.

21. J'ai une maison.
22. J'ai des maisons.
23. J'ai deux maisons.
24. Je n'ai pas de maison.
25. Je n'ai pas raison.

26. Il le mange.
27. Il les mange.
28. Ils les mangent.
29. Il les range.
30. Il le range.

Nom : ______________________ Date : ____________

Feuille reproductible 16.3 Le record – série 3

31. On en prend.

32. On n'en prend pas.

33. On n'en prend plus.

34. On en prend plus.

35. On en prend trop.

36. Elle en donne.

37. Elle lui donne.

38. Elle lui en donne.

39. Elle la lui donne.

40. Elle les lui donne.

41. Il n'a pas mangé.

42. Il n'a plus mangé.

43. Il n'a rien mangé.

44. Il n'a rien rangé.

45. Il ne l'a pas rangé.

Nom : ______________________ Date : ______________

Feuille reproductible 16.4 Le record – série 4

46. Est-ce que tu vas bien ?
47. Est-ce que tu vois bien ?
48. Est-ce que tu la vois ?
49. Est-ce que tu l'as vu ?
50. Est-ce que tu l'as bien vu ?

51. Qu'est-ce qu'il mange ?
52. Qu'est-ce qu'il range ?
53. Qu'est-ce qu'elle mange ?
54. Qu'est-ce qu'elle change ?
55. Qu'est-ce que ça change ?

56. Qui est-ce qui parle ?
57. Qui est-ce qui en parle ?
58. Qui est-ce qui lui parle ?
59. Qui est-ce qui part ?
60. Qui est-ce qui leur parle ?

Nom : ______________________ Date : ______________

Feuille reproductible 16.5 Le record – série 5

61. Comment t'appelles-tu ?
62. Comment l'appelles-tu ?
63. Comment s'appelle-t-il ?
64. Comment s'appellent-ils ?
65. Comment l'apprend-il ?

66. Est-ce que c'est une fille ?
67. Est-ce que c'est une bille ?
68. Est-ce que c'est une balle ?
69. Est-ce que c'est une salle ?
70. Est-ce que c'est une malle ?

Activité 17 Leçons de sons

Objectifs

- Développer la voie d'adressage.
- Développer l'orthographe d'usage.
- Développer la création d'images visuelles.

Matériel

- Feuilles reproductibles 17.1 à 17.17, *Leçons de sons*
- Le son [**o**] et ses graphies : eau, au, o (feuilles reproductibles 17.1 à 17.4)
- Le son [**in**] et ses graphies : in, ain, ein (feuilles reproductibles 17.5 à 17.8)
- Le son [**en**] et ses graphies : an (am), en, (feuilles reproductibles 17.9 à 17.11)
- Le son [**ai**] et ses graphies : ê, ai, ei, et, è (feuilles reproductibles 17.12 à 17.17)

Public cible : Premier cycle

Préalable : Aucun

Déroulement de l'activité

- Distribuez la feuille reproductible 17.1 (voir la page 96) à chacun des élèves. Celle-ci porte sur la graphie *eau* du son [**o**].
- Copiez la feuille reproductible au tableau.
- Demandez aux élèves s'ils connaissent un mot où le son [**o**] s'écrit avec les lettres *eau.* Écrivez au tableau les mots qu'ils vous suggéreront. Ajoutez à cette liste les mots de l'encadré de la feuille reproductible 17.1 : *eau, nouveau, château,* etc.
- Demandez aux élèves de lire en chœur les mots écrits au tableau.
- Par la suite, expliquez aux élèves qu'ils devront inventer une histoire qui contiendra les mots qu'ils viennent de lire.
- Invitez un enfant à raconter l'histoire qu'il a inventée. L'histoire devra contenir tous les mots inscrits au tableau.
- Demandez ensuite aux élèves de la classe d'illustrer leur propre histoire dans l'espace réservé à cet effet sur la feuille reproductible 17.1.
- Puis, invitez un élève à épeler un des mots étudiés, d'abord à l'endroit puis à l'envers. Avec différents élèves, reprenez la même procédure pour tous les mots présents au tableau.
- Distribuez aux élèves les feuilles reproductibles 17.2 et 17.3 (voir les pages 97 et 98) et reprenez les mêmes étapes pour les autres graphies du son [**o**].

- Distribuez ensuite les feuilles reproductibles 17.4 (voir les pages 99 et 100). Lisez les consignes relatives à la graphie du son [**o**]. Invitez les élèves à répondre aux questions qui apparaissent sur les feuilles reproductibles que vous venez de leur remettre.
- Recommencez les mêmes étapes pour les différentes graphies des sons [**in**] (voir les feuilles reproductibles 17.5 à 17.8, aux pages 101 à 104), [**en**] (voir les feuilles reproductibles 17.9 à 17.11, aux pages 105 à 107) et [**ai**] (voir les feuilles reproductibles 17.12 à 17.17, au pages 108 à 115.

Consignes pour les graphies *eau, au, o* (voir la feuille reproductible 17.4, aux pages 99 et 100)

1. Graphie *eau*
   a. Combien y a-t-il de lettres dans le mot *gâteau*?
   b. Comment écrit-on le son [**o**] du mot *gâteau*? Encercle ta réponse.
   c. Quelle lettre vient après la lettre *t*? Encercle ta réponse.
   d. Écris dans le rectangle deux autres mots où le son [**o**] s'écrit comme dans *gâteau.*
2. Graphie *au*
   a. Combien y a-t-il de lettres dans le mot *saut*?
   b. Quelle est la première lettre du mot *aussi*? Encercle ta réponse.
   c. Écris dans le rectangle deux autres mots où le son [**o**] s'écrit comme dans *saut.*
3. Graphie *o*
   a. Combien y a-t-il de lettres dans le mot *oreille*?
   b. Comment s'écrit le son [**o**] du mot *oreille*? Encercle ta réponse.
   c. Quelle est l'avant-dernière lettre du mot *oreille*? Encercle ta réponse.
   d. Écris dans le rectangle deux autres mots où le son [**o**] s'écrit comme dans *oreille.*
4. Graphies *eau* et *o*
   a. Regarde attentivement les mots où le son [**o**] s'écrit avec les lettres *e, a* et *u.* Quelle est la position de ces lettres dans chacun des mots? Au début, à la fin ou à l'intérieur du mot? Encercle ta réponse.
   b. Regarde attentivement les mots où le son [**o**] s'écrit avec la lettre *o.* Quelle est la position de cette lettre dans chacun des mots? Au début, à la fin ou à l'intérieur du mot? Encercle ta réponse.

Remarque

Faites remarquer aux enfants que, dans la plupart des mots qui s'écrivent avec la graphie *o*, le son prononcé est un *o* ouvert, soit un son entre celui du [**a**] et celui du [**o**] (exemples: oreille, école, os).

Consignes pour les graphies *in, ain, ein* (voir la feuille reproductible 17.8, à la page 104)

1. Graphie *in*
   a. Combien y a-t-il de lettres dans le mot *lapin*?
   b. Comment s'écrit le son [**in**] du mot *lapin*? Encercle ta réponse.
   c. Écris dans le rectangle deux autres mots où le son [**in**] s'écrit comme dans *lapin*.

2. Graphie *ain*
   a. Combien y a-t-il de lettres dans le mot *main*?
   b. Comment s'écrit le son [**in**] du mot *main*? Encercle ta réponse.
   c. Écris dans le rectangle deux autres mots où le son [**in**] s'écrit comme dans *main*.

3. Graphie *ein*
   a. Combien y a-t-il de lettres dans le mot *peinture*?
   b. Comment s'écrit le son [**in**] du mot *peinture*? Encercle ta réponse.
   c. Écris dans le rectangle deux autres mots où le son [**in**] s'écrit comme dans *peinture*.

Consignes pour les graphies *an, am, en* (voir la feuille reproductible 17.11, à la page 107)

1. Graphie *am*
   a. Combien y a-t-il de lettres dans le mot *chambre*?
   b. Comment s'écrit le son [**en**] du mot *chambre*? Encercle ta réponse.
   c. Écris dans le rectangle deux autres mots où le son [**an**] s'écrit comme dans *chambre*.

2. Graphie *en*
   a. Combien y a-t-il de lettres dans le mot *cent*?
   b. Comment s'écrit le son [**en**] du mot *cent*? Encercle ta réponse.
   c. Écris dans le rectangle deux autres mots où le son [**en**] s'écrit comme dans *cent*.

3. Graphie *an*
   a. Combien y a-t-il de lettres dans le mot *chante*?
   b. Comment s'écrit le son [**en**] du mot *chante*? Encercle ta réponse.
   c. Écris dans le rectangle le mot *chante*.

Consignes pour les graphies *ê, ai, ei, et, è* (voir la feuille reproductible 17.17, aux pages 113 à 115)

1. Graphie *ê*
   a. Combien y a-t-il de lettres dans le mot *forêt*?
   b. Comment s'écrit le son [**è**] du mot *forêt*? Encercle ta réponse.
   c. Écris dans le rectangle deux autres mots où le son [**è**] s'écrit comme dans *forêt*.

2. Graphie *ai*
   a. Combien y a-t-il de lettres dans le mot *semaine*?
   b. Comment s'écrit le son [è] du mot *semaine*? Encercle ta réponse.
   c. Écris dans le rectangle deux autres mots où le son [è] s'écrit comme dans *semaine.*

3. Graphie *ei*
   a. Combien y a-t-il de lettres dans le mot *neige*?
   b. Comment s'écrit le son [è] du mot *neige*? Encercle ta réponse.
   c. Écris dans le rectangle deux autres mots où le son [è] s'écrit comme dans *neige.*

4. Graphie *et*
   a. Combien y a-t-il de lettres dans le mot *poulet*?
   b. Comment s'écrit le son [è] du mot *poulet*? Encercle ta réponse.
   c. Écris dans le rectangle deux autres mots où le son [è] s'écrit comme dans *poulet.*

5. Graphie *è*
   a. Combien y a-t-il de lettres dans le mot *zèbre*?
   b. Comment s'écrit le son [è] du mot *zèbre*? Encercle ta réponse.
   c. Écris dans le rectangle deux autres mots où le son [è] s'écrit comme dans *zèbre.*

6. Toutes les graphies du son [è]
   a. Écris les mots *jouet, mère, reine, maison* et *fête* à côté de l'illustration correspondante.

Nom : ______________________________ Date : ________________

Feuille reproductible 17.1 Leçons de sons – eau au o

eau nouveau château gâteau

oiseau bateau beau

Nom : ______________________ Date : ______________

Feuille reproductible 17.2 Leçons de sons – eau au o

pauvre aussi aucun saut

chaud haut jaune

Nom : ______________________ Date : ______________

Feuille reproductible 17.3 Leçons de sons – eau au o

oreille sorcière os

forêt fort gros école

Nom : ______________________ Date : ______________

Feuille reproductible 17.4 Leçons de sons – eau au o

1. a) 4 5 6 7

b) eau au o

c) â u e g

d) ____________ ____________

2. a) 2 3 4 5

b) o a eau

c) ____________ ____________

3. a) 4 5 6 7

b) eau au o

c) e i l o

d) ____________ ____________

Nom : ______________________ Date : ______________

Feuille reproductible 17.4 Leçons de sons – eau au o (suite)

4. a)

eau :	début	fin	intérieur
nouveau :	début	fin	intérieur
château :	début	fin	intérieur
gâteau :	début	fin	intérieur
oiseau :	début	fin	intérieur
bateau :	début	fin	intérieur
beau :	début	fin	intérieur

b)

oreille :	début	fin	intérieur
sorcière :	début	fin	intérieur
os :	début	fin	intérieur
forêt :	début	fin	intérieur
fort :	début	fin	intérieur
gros :	début	fin	intérieur
école :	début	fin	intérieur

Nom : ____________________ Date : ____________

Feuille reproductible 17.5 Leçons de sons – in ain ein

lapin matin cinq

jardin prince chemin

Nom : ______________________ Date : ______________

Feuille reproductible 17.6 Leçons de sons – in ain ein

main pain bain train

Nom : ______________________ Date : ______________

Feuille reproductible 17.7 Leçons de sons – in ain ein

peinture plein ceinture frein

Nom : ______________________ Date : ______________

Feuille reproductible 17.8 Leçons de sons – in ain ein

1. a) 2 3 4 5

b) in ain ein

c) ____________ ____________

2. a) 2 3 4 5

b) in ain ein

c) ____________ ____________

3. a) 6 7 8 9

b) in ain ein

c) ____________ ____________

Nom : ______________________ Date : ______________

Feuille reproductible 17.9 Leçons de sons – an (am) en

manger maman blanc

chambre chante

Nom : ______________________ Date : ______________

Feuille reproductible 17.10 Leçons de sons – an (am) en

vent prendre cent dent

Nom : ______________________ Date : ______________

Feuille reproductible 17.11 Leçons de sons – an (am) en

1. a) 4 5 6 7

b) an am en

c) __________ __________

100

2. a) 4 5 6 7

b) an am en

c) __________ __________

3. a) 4 5 6 7

b) an am en

c) ____________________

Nom : ______________________ Date : ______________

Feuille reproductible 17.12 Leçons de sons – ê ai ei et è

tête bête fête forêt

rêve pêcheur

Nom : ______________________ Date : ______________

Feuille reproductible 17.13 Leçons de sons – ê ai ei et è

aile chaise aimer air

maison lait

Nom : ______________________ Date : ______________

Feuille reproductible 17.14 Leçons de sons – ê ai ei et è

neige peine reine

seigneur treize seize

Nom : ______________________ Date : ______________

Feuille reproductible 17.15 Leçons de sons – ê ai ei et è

jouet poulet filet sommet

Nom : ______________________ Date : ______________

Feuille reproductible 17.16 Leçons de sons – ê ai ei et è

mère père frère après élève

Nom : ______________________ Date : ______________

Feuille reproductible 17.17 Leçons de sons – ê ai ei et è

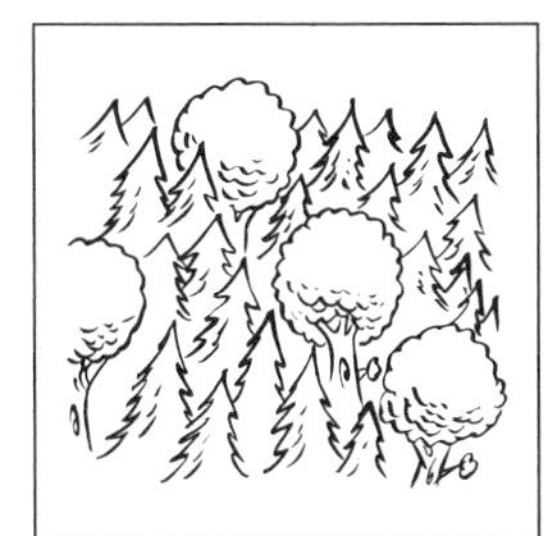

1. a) 3 4 5 6

b) è ê ai ei et

c) ______ ______

2. a) 5 6 7 8

b) è ê ai ei et

c) ______ ______

3. a) 3 4 5 6

b) è ê ai ei et

c) ______ ______

Nom : ______________________ Date : ______________

Feuille reproductible 17.17 Leçons de sons – ê ai ei et è (suite)

4. a) 3 4 5 6

b) è ê ai ei et

c) ______________ ______________

5. a) 4 5 6 7

b) ê è ai ei et

c) ______________ ______________

Nom : ______________________ Date : ______________

Feuille reproductible 17.17 Leçons de sons – ê ai ei et è (suite)

6. a)

____

b)

____

c)

____

d)

____

e)

____

Bibliographie

ALBOUY, P. « Plainte attentionnelle et dyslexie : évaluation et proposition de prise en charge », dans C. Pech-Gergel et F. George (éd.), *Approches et remédiations des dysphasies et des dyslexies,* Marseille, Solal, 2002.

ALÉGRIA, J., et P. MOUSTY. « Processus lexicaux impliqués dans l'orthographe d'enfants francophones présentant des troubles de la lecture », dans L. Rieben, M. Fayol et C. A. Perfetti (éd.), *Des orthographes et leur acquisition,* Neuchâtel, Delachaux et Nieslé, 1997.

ALLAL, L. « Acquisition de l'orthographe en situation de classe », dans L. Rieben, M. Fayol et C. A. Perfetti (éd.), *Des orthographes et leur acquisition,* Neuchâtel, Delachaux et Nieslé, 1997.

BELL, S. M., S. McCallum et E. A. Cox. « Toward a research-based assessment of dyslexia : Using cognitive measures to identify reading disabilities », *Journal of Learning Disabilities,* vol. 36, n° 6, 2003, p. 505-517.

CASTLES, A., et M. Coltheart. « Varieties of developmental dyslexia », *Cognition,* n° 47, 1993, p. 149-180.

DEMONT, E., et A. Botzung. « Mémoires originaux », *L'année psychologique,* n° 104, Boulogne, PUF, 2003, p. 377-410.

ECALLE, J. « Développement des processus d'indentification de mots écrits : une étude transversale entre 6 et 8 ans », *Rééducation orthophonique,* n° 213, 2003, p. 7795.

ECALLE, J. « L'acquisition de l'orthographe lexicale », *Glossa,* n° 62, 1998, p. 2835.

ECALLE, J., et A. Magnan. *L'apprentissage de la lecture,* Paris, Armand Collin, 2002.

ESTIENNE, F. *Orthographe, pédagogie et orthophonie,* Paris, Masson, 2002.

ESTIENNE, F. *Méthode d'entraînement à la lecture et dyslexies,* Paris, Masson, 1998.

GÉRARD, N., P. Mousty, A. Content, J. Alegria, J. Leybaert et J. Morais. « Methods to establish subtypes of developmental dyslexia », dans P. Reitsma et L. Verhoeven (éd.), *Problems and Interventions in Literacy Development,* 1998, Dordrecht, Kluwer Academic Publishers, p. 163-176.

GOMBERT, J.-É., P. Bryant et N. Warrick. « Les analogies dans l'apprentissage de la lecture et de l'orthographe », dans L. Rieben, M. Fayol et C. A. Perfetti (éd.), *Des orthographes et leur acquisition,* Neuchâtel, Delachaux et Nieslé, 1997.

HEIERVANY, E., et K. Hugdahl. « Impaired visual attention in children with dyslexia », *Journal of Learning Disabilities,* n° 36, janv./févr. 2003, p. 68-75.

HOLMES, V. M., et C. W. Davis. « Orthographic representation and spelling knowledge », *Language and Cognitive Process,* nº 17, 2002, p. 345-370.

LAMBERT, E., et D. Chenest. « Novlex : une base de données lexicales pour les élèves du primaire », *L'année psychologique,* nº 101, Boulogne, PUF, 2001, p. 277-288.

LECOCQ, P. *Apprentissage de la lecture et dyslexie,* Bruxelles, Éditions Mardaga, 1991.

LÉTÉ, B., E. Lambert et D. Chenest. « Manulex : une base de données lexicales sur le lexique écrit adressé à l'enfant », *Behavior Research Methods Instruments and Computers,* nº 36, 2004, p. 156-166.

MANIS, F. R., M. S. Seidenberg, M. DoiL., C. McBride-Chang et A. Peterson. « On the basis of two subtypes of developmental dyslexia », *Cognition,* nº 58, 1996, p. 157-195.

MASTERSON, J., et L. A. Crede. « Learning to spell », *LSHSS,* vol. 30, 1999, p. 243-254.

MORAIS, J. *L'art de lire,* Paris, Éditions Odile Jacob, 1999.

OBSERVATOIRE DE LA LECTURE. *Maîtriser la lecture,* Paris, Éditions Odile Jacob, 2000.

POTHIER, B., et P. Pothier. *Échelle d'acquisition en orthographe lexicale,* Paris, Retz, 2003.

ROMDHANE, M. N., J. É. Gombert et M. Belajouza. *L'apprentissage de la lecture,* Rennes, Presses universitaires de Rennes et Centre de publication de Tunis, 2003.

SCHNEIDER, W., E. Roth et M. Ennemoser. « Training phonological skills and letter knowledge in children at risk for dyslexia : A comparison of three kindergarten interventions programs », *Journal européen de psychologie de l'éducation,* nº 4, 2000, p. 5-16.

SPRENGER-CHAROLLES, L., et P. Colé. *Lecture et dyslexie,* Paris, Dunod, 2003.

SPRENGER-CHAROLLES, L., P. Colé, P. Lacert et W. Sernicales. « On Subtypes of Developmental : Evidence from Processing Time and Accuracy Scores », *Canadian Journal of Experimental Psychology,* nº 54, 2000, p. 88-104.

STANOVITCH, K. E., L. S. Siegel et A. Gottardo. « Converging evidence for phonological and surface subtypes of reading disability », *Journal of Educational Psychology,* nº 89, 1997, p. 114-127.

VALOIS, S. « Les sous-types de dyslexies », dans S. Valois, P. Colé et D. David (éd.), *Apprentissage de la lecture et dyslexies développementales,* Marseille, Solal, 2004.

VALOIS, S., et L. Launay. « Évaluation et prise en charge cognitive de l'enfant dyslexique et/ou dysorthographique de surface », dans S. Valois, P. Colé et D. David (éd.), *Apprentissage de la lecture et dyslexies développementales*, Marseille, Solal, 2004.

VALOIS, S., et L. Launay. « Évaluation et rééducation cognitives des dyslexies développementales », dans M. Van der Linden et P. Pierrer (éd.), *Rééducation neuropsychologue*, Marseille, Solal, 1999.

VALOIS, S., M.-L. Bosse et M.-J. Tainturier. « The Cognitive Deficits Responsible for Developmental Dyslexia : Review of Evidence for a Selective Visual Attentional, Disorder », *Dyslexia,* n° 10, 2004, p. 1-25.

WALCH, J.-P. « Évaluation et rééducation neuropsychologiques d'un cas de dyslexie à composante visuo-attentionnelle », dans C. Pech-Gergel et F. George (éd.), *Approches et remédiations des dysphasies et des dyslexies*, Marseille, Solal, 2002.

WALCH, J.-P. « Étude de cas clinique de perturbation développementale de l'accès à l'orthographe », *Rééducation orthophonique*, n° 200, 1999, p. 191-211.

WALCH, J.-P. « Évaluation et rééducation cognitives du langage écrit chez l'enfant », dans S. Carbinnel, P. Gillet, M. D. Martory et S. Valois (éd.), *Approche cognitive des troubles de la lecture et de l'écriture chez l'enfant et l'adulte*, Marseille, Solal, 1996.

ZESIGER, P. *Écrire*, Paris, PUF, 1995.

ZORMAN, M. « Évaluation de la conscience phonologique et entraînement des capacités phonologiques en grande section de maternelle », *Rééducation orthophonique,* n° 197, 1999, p. 139-157.

Procurez-vous aussi *Madame Mo* !

Apprendre la lecture et l'orthographe avec Madame Mo !

Madame Mo

Un cédérom interactif pour les enfants de 5 à 9 ans

Brigitte Stanké
orthophoniste M.O.A.

Guide d'utilisation inclus

Version monoposte	ISBN 2-7651-0374-7
Version réseau	ISBN 2-7651-0423-9
Ensemble de 5 copies	ISBN 2-7651-0424-7

Maîtriser le traitement phonologique par le jeu

L'enfant qui apprend à lire décode les mots de deux façons : par voie d'adressage, c'est-à-dire par la reconnaissance visuelle globale des mots, et par voie d'assemblage (de sons et de lettres). Or cette dernière est non seulement la voie la plus utilisée au cours des deux premières années d'apprentissage de la lecture et de l'écriture, elle influence aussi la performance en lecture et en orthographe des lecteurs de tous niveaux.

Madame Mo est un outil qui vise principalement à construire et à consolider le traitement phonologique des pré-lecteurs et des lecteurs ainsi qu'à développer l'accès aux deux voies.

Ce logiciel interactif a été élaboré à partir des plus récentes recherches portant sur l'apprentissage de la lecture et de ses troubles, tant en orthophonie qu'en neuropsychologie cognitive. Il a été conçu pour permettre à l'enfant d'évoluer seul au moyen d'un tutoriel d'apprentissage.

Une approche par le jeu

Madame Mo est un sympathique mille-pattes qui propose dix activités ciblant des habiletés de lecture : localiser un phonème dans un mot, reconnaître des rimes, maîtriser la segmentation syllabique et phonémique et la correspondance son-lettre(s), etc.

Les six premières activités sont présentées selon un ordre croissant de difficultés, permettant ainsi à l'enfant de construire progressivement l'habileté travaillée. Les activités suivantes visent à consolider les acquis.

La réussite de chaque activité est récompensée par un diplôme que l'enfant peut imprimer.

Au moyen de l'ordinateur, un support apprécié des enfants, Madame Mo encourage un apprentissage autonome.

Configuration minimale

PC	MAC
• Pentium 233 Mhz	• Mac G3
• Windows NT, 98, Millenium, 2000 ou XP	• Système 9.0 avec l'extension « carbonLib 1.3.1 »
• Internet Explorer 5.0	

Chenelière/Didactique

A APPRENTISSAGE

Accompagner la construction des savoirs
Rosée Morissette, Micheline Voynaud

Au pays des gitans
Un répertoire d'outils pour développer la gestion cognitive de l'attention, de la mémoire et de la planification
Martine Leclerc

Des idées plein la tête
Exercices axés sur le développement cognitif et moteur
Geneviève Daigneault, Josée Leblanc

Des mots et des phrases qui transforment
La programmation neurolinguistique appliquée à l'éducation
Isabelle David, France Lafleur, Johanne Patry

Déficit d'attention et hyperactivité
Stratégies pour intervenir autrement en classe
Thomas Armstrong

Être attentif... une question de gestion!
Un répertoire d'outils pour développer la gestion cognitive de l'attention, de la mémoire et de la planification
Pierre-Paul Gagné, Danielle Noreau, Line Ainsley

Être prof, moi j'aime ça!
Les saisons d'une démarche de croissance pédagogique
L. Arpin, L. Capra

Intégrer l'enseignement stratégique dans sa classe
Annie Presseau et coll.

Intégrer les intelligences multiples dans votre école
Thomas R. Hoerr

La gestion mentale
Au cœur de l'apprentissage
Danielle Bertrand-Poirier, Claire Côté, Francesca Gianesin, Lucille Paquette Chayer
- Compréhension de lecture
- Grammaire
- Mémorisation
- Résolution de problèmes

L'apprentissage à vie
La pratique de l'éducation des adultes et de l'andragogie
Louise Marchand

L'apprentissage par projets
Lucie Arpin, Louise Capra

Le cerveau et l'apprentissage
Mieux comprendre le fonctionnement du cerveau pour mieux enseigner
Eric Jensen

Les cartes d'organisation d'idées
Une façon efficace de structurer sa pensée
Nancy Margulies, Gervais Sirois

Les garçons à l'école
Une autre façon d'apprendre et de réussir
Jean-Guy Lemery

Les intelligences multiples
Guide pratique
Bruce Campbell

Les intelligences multiples dans votre classe
Thomas Armstrong

Les secrets de l'apprentissage
Robert Lyons

Par quatre chemins
L'intégration des matières au cœur des apprentissages
Martine Leclerc

Plan d'intervention pour les difficultés d'attention
Christine Drouin, André Huppé

Pour apprendre à mieux penser
Trucs et astuces pour aider les élèves à gérer leur processus d'apprentissage
Pierre Paul Gagné

PREDECC
Programme d'entraînement et de développement des compétences cognitives
- Module 1: Cerveau... mode d'emploi!
  Pierre Paul Gagné, Line Ainsley
- Module 2: Apprendre avec Réflecto
  Pierre Paul Gagné, Louis-Philippe Longpré

Programme Attentix
Gérer, structurer et soutenir l'attention en classe
Alain Caron

Stratégies pour apprendre et enseigner autrement
Pierre Brazeau

Un cerveau pour apprendre
Comment rendre le processus enseignement-apprentissage plus efficace
David A. Sousa

Vivre la pédagogie du projet collectif
Collectif Morissette-Pérusset

C CITOYENNETÉ ET COMPORTEMENT

Citoyens du monde
Éducation dans une perspective mondiale
Véronique Gauthier

Collection Rivière Bleue
Éducation aux valeurs par le théâtre
Louis Cartier, Chantale Métivier
- Les petits plongeons (l'estime de soi, 6 à 9 ans)
- Les yeux baissés, le cœur brisé (la violence, 6 à 9 ans)

- SOIS POLI, MON KIKI (la politesse, 6 à 9 ans)
- AH ! LES JEUNES, ILS NE RESPECTENT RIEN (les préjugés, 9 à 12 ans)
- COUP DE MAIN (la coopération, 9 à 12 ans)
- BRIS ET GRAFFITIS (le vandalisme, 9 à 12 ans)

Coopérer à cinq ans
Johanne Potvin, Caroline Ruel, Isabelle Robillard, Martine Sabourin

Droits et libertés... à visage découvert
Au Québec et au Canada
Sylvie Loslier, Nicole Pothier

Et si un geste simple donnait des résultats...
Guide d'intervention personnalisée auprès des élèves
Hélène Trudeau et coll.

J'apprends à être heureux
Robert A. Sullo

La réparation: pour une restructuration de la discipline à l'école
Diane C. Gossen
- MANUEL
- GUIDE D'ANIMATION

La théorie du choix
William Glasser

L'éducation aux droits et aux responsabilités au primaire
Commission des droits de la personne et des droits de la jeunesse du Québec

L'éducation aux droits et aux responsabilités au secondaire
Commission des droits de la personne et des droits de la jeunesse du Québec

Mon monde de qualité
Carleen Glasser

PACTE : Un programme de développement d'habiletés socio-affectives
B. W. Doucette, S. M. Fowler
- TROUSSE POUR 4e À 7e ANNÉE (PRIMAIRE)
- TROUSSE POUR 7e À 12e ANNÉE (SECONDAIRE)

Programme d'activités en service de garde
Activités pédagogiques journalières
Andrée Laforest

Vivre en équilibre
Des outils d'animation et d'intervention de groupe
Francine Bélair

Ec ÉDUCATION À LA COOPÉRATION

Ajouter aux compétences
Enseigner, coopérer et apprendre au postsecondaire
Jim Howden, Marguerite Kopiec

Apprendre la démocratie
Guide de sensibilisation et de formation selon l'apprentissage coopératif
C. Évangéliste-Perron, M. Sabourin, C. Sinagra

Apprenons ensemble
L'apprentissage coopératif en groupes restreints
Judy Clarke et coll.

Coopérer pour réussir
Scénarios d'activités coopératives pour développer des compétences
M. Sabourin, L. Bernard, M.-F. Duchesneau, O. Fugère, S. Ladouceur, A. Andreoli, M. Trudel, B. Campeau, F. Gévry
- PRÉSCOLAIRE ET 1er CYCLE DU PRIMAIRE
- 2e ET 3e CYCLES DU PRIMAIRE

Découvrir la coopération
Activités d'apprentissage coopératif pour les enfants de 3 à 8 ans
B. Chambers et coll.

Je coopère, je m'amuse
100 jeux coopératifs à découvrir
Christine Fortin

La coopération au fil des jours
Des outils pour apprendre à coopérer
Jim Howden, Huguette Martin

La coopération en classe
Guide pratique appliqué à l'enseignement quotidien
Denise Gaudet et coll.

L'apprentissage coopératif
Théories, méthodes, activités
Philip C. Abrami et coll.

Le travail de groupe
Stratégies d'enseignement pour la classe hétérogène
Elizabeth G. Cohen

Structurer le succès
Un calendrier d'implantation de la coopération
Jim Howden, Marguerite Kopiec

E ÉVALUATION ET COMPÉTENCES

Comment construire des compétences en classe
Des outils pour la réforme
Steve Bisonnette, Mario Richard

Le plan de rééducation individualisé (PRI)
Une approche prometteuse pour prévenir le redoublement
Jacinthe Leblanc

Le portfolio
Évaluer pour apprendre
Louise Dore, Nathalie Michaud, Libérata Mukarugagi

Le portfolio au service de l'apprentissage et de l'évaluation
Roger Farr, Bruce Tone
Adaptation française : Pierrette Jalbert

Le portfolio de développement professionnel continu
Richard Desjardins

Portfolios et dossiers d'apprentissage
Georgette Goupil
- Vidéocassette

Profil d'évaluation
Une analyse pour personnaliser votre pratique
Louise M. Bélair
- Guide du formateur

G GESTION DE CLASSE

À la maternelle... voir GRAND!
Louise Sarrasin, Marie-Christine Poisson

Apprivoiser les différences
Guide sur la différenciation des apprentissages et la gestion des cycles
Jacqueline Caron

Apprendre... c'est un beau jeu
L'éducation des jeunes enfants dans un centre préscolaire
M. Baulu-MacWillie, R. Samson

Bien s'entendre pour apprendre
Réduire les conflits et accroître la coopération, du préscolaire au 3e cycle
Lee Canter, Katia Petersen, Louise Dore, Sandra Rosenberg

Construire une classe axée sur l'enfant
S. Schwartz, M. Pollishuke

Je danse mon enfance
Guide d'activités d'expression corporelle et de jeux en mouvement
Marie Roy

La classe différenciée
Carol Ann Tomlinson

La multiclasse
Outils, stratégies et pratiques pour la classe multi-âge et multiprogramme
Colleen Politano, Anne Davies
Adaptation française: Monique Le Pailleur

Le conseil de coopération
Un outil pédagogique pour l'organisation de la vie de classe et la gestion des conflits
Danielle Jasmin

L'enfant-vedette (vidéocassette)
Alan Taylor, Louise Sarrasin

Ma première classe
Stratégies gagnantes pour les nouveaux enseignants
Teresa Langness, Hélène Bombardier, Elourdes Pierre

Pirouettes et compagnie
Jeux d'expression dramatique, d'éveil sonore et de mouvement pour les enfants de 1 an à 6 ans
Veronicah Larkin, Louie Suthers

Quand les enfants s'en mêlent
Ateliers et scénarios pour une meilleure motivation
Lisette Ouellet

Quand revient septembre...
Jacqueline Caron
- Guide sur la gestion de classe participative (volume 1)
- Recueil d'outils organisationnels (volume 2)

Une enfance pour s'épanouir
Des outils pour le développement global de l'enfant
Sylvie Desrosiers, Sylvie Laurendeau

L LANGUE ET COMMUNICATION

À livres ouverts
Activités de lecture pour les élèves du primaire
Debbie Sturgeon

Attention, j'écoute
Jean Gilliam DeGaetano

Chacun son rythme!
Activités graduées en lecture et en écriture
Hélène Boucher, Sylvie Caron, Marie F. Constantineau

Chercher, analyser, évaluer
Activités de recherche méthodologique
Carol Koechlin, Sandi Zwaan

Conscience phonologique
Marilyn J. Adams, Barbara R. Foorman, Ingvar Lundberg, Terri Beeler

De l'image à l'action
Pour développer les habiletés de base nécessaires aux apprentissages scolaires
Jean Gilliam DeGaetano

Écouter, comprendre et agir
Activités pour développer les habiletés d'écoute, d'attention et de compréhension verbale
Jean Gilliam DeGaetano

Émergence de l'écrit
Éducation préscolaire et premier cycle du primaire
Andrée Gaudreau

Histoire de lire
La littérature jeunesse dans l'enseignement quotidien
Danièle Courchesne

L'apprenti lecteur
Activités de conscience phonologique
Brigitte Stanké

L'art de communiquer oralement
Jeux et exercices d'expression orale
Cathy Miyata, Louise Dore, Sandra Rosenberg

L'extrait, outil de découvertes
Le livre au cœur des apprentissages
Hélène Bombardier, Elourdes Pierre

Le français en projets
Activités d'écriture et de communication orale
Line Massé, Nicole Rozon, Gérald Séguin

Le sondage d'observation en lecture-écriture
Mary Clay, Gisèle Bourque, Diana Masny
- Livret LES ROCHES
- Livret SUIS-MOI, MADAME LA LUNE

Le théâtre dans ma classe, c'est possible!
Lise Gascon

Les cercles littéraires
Harvey Daniels, Élaine Turgeon

Lire et écrire à la maison
Programme de littératie familiale favorisant l'apprentissage de la lecture
Lise Saint-Laurent, Jocelyne Giasson, Michèle Drolet

Lire et écrire au secondaire
Un défi signifiant
Godelieve De Koninck, Réal Bergeron, Marlène Gagnon

Lire et écrire en première année... et pour le reste de sa vie
Yves Nadon

Plaisir d'apprendre
Louise Dore, Nathalie Michaud

Quand lire rime avec plaisir
Pistes pour exploiter la littérature jeunesse en classe
Élaine Turgeon

Question de réflexion
Activités basées sur les 42 concepts langagiers de Boehm

Une phrase à la fois
Brigitte Stanké, Odile Tardieu

P PARTENARIAT ET LEADERSHIP

Avant et après l'école
Mise sur pied et gestion d'un service de garde en milieu scolaire
Sue Tarrant, Alison Jones, Diane Berger

Communications et relations entre l'école et la famille
Georgette Goupil

Devoirs sans larmes
Lee Canter
- GUIDE À L'INTENTION DES PARENTS POUR MOTIVER LES ENFANTS À FAIRE LEURS DEVOIRS ET À RÉUSSIR À L'ÉCOLE
- GUIDE POUR LES ENSEIGNANTES ET LES ENSEIGNANTS DE LA 1re À LA 3e ANNÉE
- GUIDE POUR LES ENSEIGNANTES ET LES ENSEIGNANTS DE LA 4e À LA 6e ANNÉE

Enseigner à l'école qualité
William Glasser

Le leadership en éducation
Plusieurs regards, une même passion
Lyse Langlois, Claire Lapointe

Nouveaux paradigmes pour la création d'écoles qualité
Brad Greene

Pour le meilleur... jamais le pire
Prendre en main son devenir
Francine Bélair

S SCIENCES ET MATHÉMATIQUES

Calcul en tête
Stratégies de calcul mental pour les élèves de 8 à 12 ans
Jack A. Hope, Barbara J. Reys, Robert J. Reys

Cinq stratégies gagnantes pour l'enseignement des sciences et de la technologie
Laurier Busque

De l'énergie, j'en mange!
Alimentation à l'adolescence: information et activités
Carole Lamirande

Question d'expérience
Activités de résolution de problèmes en sciences et en technologie
David Rowlands

Sciences en ville
J. Bérubé, D. Gaudreau

Supersciences
Susan V. Bosak
- À LA DÉCOUVERTE DES SCIENCES
- L'ENVIRONNEMENT
- LE RÈGNE ANIMAL
- LES APPLICATIONS DE LA SCIENCE
- LES ASTRES
- LES PLANTES
- LES ROCHES
- LE TEMPS
- L'ÊTRE HUMAIN
- MATIÈRE ET ÉNERGIE